W9-CSY-202

WEST SIDE

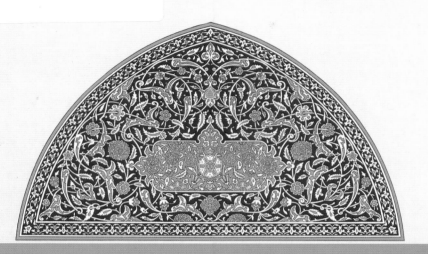

EL PROFETA

EL PROFETA

KHALIL GIBRÁN

Traducido de la versión en inglés: Mauricio Pichardo

Grupo Editorial Tomo, S.A. de C.V.,
Nicolás San Juan 1043,
03100, México, D.F.

Los editores nos esforzamos por contactar con quienes tienen los derechos de autor de todas las imágenes de este libro. Cualquier descuido a este respecto se rectificará en futuras ediciones.

Portada: Ilustración del Rubaiyat de Ornar Khayyam, por Edmund Oulac, 1909. **2.** Cielo de la tumba del poeta persa Hafez. Shiraz, Iran. **3.** Detalle de *The fainting of Layiah and Majnun,* por Surtan Muhammad. **7.** Detalle de "shamsa" o "pequeño sol", de una traducción persa de *Annais of the Apostles and Kings,* escrito originalmente en árabe por Tabari (839-923). The Bridgeman Art Library. **8.** *The Murid kisses the Pir's feet,* pliego de *Haft awrang (Seven Thrones)* por Jami (1414-1492). Mashad, Khurasan, Iran, 1556-1565. The Bridgeman Art Library. **11.** Pliego de *Haft awrang (Seven Thrones)* por Jami (1414-1492). **14.** *A pair of /overs,* pliego de un album. Isfahan, Iran, 1590-1610. The Bridgeman Art Library. **22.** *Camp scene* de Mir Sayyid'Ali, del Khamsa of Nizami. Tabriz, 1539-1543. The Bridgeman Art Library. **25.** Pintura en miniatura celebrando el nacimiento de un niño. Quizá Aurangabad, Deccan. The Bridgeman Art Library. **26.** *The O/d Woman comp/aining to Su/tan Sanjat;* del Sultan Muhammed, del *Khamsa of Nizami,* 1539-1543. The British Library. **28.** The British Library. **30.** *Tea Ceremony.* Persian School, 1560-1570. The Bridgeman Art Library. **34.** La construcción del palacio de Khavarnak para Na'man, quien era el guardián del joven Bahram Gur. Persa, 1494-1495. The Bridgeman Art Library. **37.** Detalle que muestra *zaghuna,* o seda sin tratar, en el telar representando a una mujer tejiendo, de *Miftah a/-Fuza/a* por Muhammed ibn Da'ud Shadiyabadi. The Bridgeman Art Library. **38.** Niña sentada haciendo rizos en sus cabellos, del *Large C/ive A/bum,* 1600-1610. The Bridgeman Art Library. **41.** *Woman in the Garden of Shah Abbas (1588-1629)* de la Persian School. Chehel Sotun, Isfahan, Iran. The Bridgeman Art Library. **50.** *Shirin Examines Khusraw's Portrait* pliego de *Khamsa (Quintel)* de Nizami. Iran, 1500. The Bridgeman Art Library. **53.** *The Pir rejects the ducks brought as presents,* pliego de *Haft awrang (Seven Thrones)* de Jami (1414-1492). Mashad, Khurasan, Iran, 1556-1565. The Bridgeman Art Library. **54.** *Bahram Gur Presides over the Execution of the Tyrannica/ Viziet;* pliego de un texto no identificado de Oazwin, Iran, 1580. The Bridgeman Art Library. **58.** *Sa/aman and Absa/ repose on the happy is/e,* pliego de *Haft awrang (Seven Thrones)* de Jami (1414-1492). Mashad, Khurasan, Iran, 1556-1565. The Bridgeman Art Library.

Muhammad. **73.** *Girl smoking,* de Muhammad Oasim. Isfahan, siglo XVII. **77.** Isfahan-style panel. Persa, siglo XVII. The Bridgeman Art Library. **78.** Pintura desconocida del Sultan Muhammad. **81.** Pintura desconocida del Sultan Muhammad. **82.** *The Flight of the Tortoise,* pliego de *Haft awrang (Seven Thrones)* de Jami (1414-1492). Mashad, Khurasan, Iran, 1556-1565. The Bridgeman Art Library. **84.** *Kelileh va Demneh.* Persa, siglo XV. Topkapi Palace Museum, Istanbul, Turquía. **85.** Pintura desconocida del Sultan Muhammad. **88.** Detalle de *Scene galante from the era of Shah Abbas I,* 1585-1627. The Bridgeman Art Library. **89.** *The East African looks at himself in the mirror;* pliego de *Haft awrang (Seven Thrones)* de Jami (1414-1492). Mashad, Khurasan, Iran, 1556-1565. The Bridgeman Art Library. **90.** Reloj de agua con figuras automáticas del *Book of Knowledge of Ingenious Mechanical Devices* de AI-Djazari, 1206. Topkapi Palace Museum, Etambul, Turquía / Giraudoni / The Bridgeman Art Library. **93.** Niña bailarina con castañuelas, artista desconocido. **94.** *Kay-Khusraw sends Rustam to India,* miniatura ilustrada de un disperso Shahnama de Ferdowsi. The Bridgeman Art Library. **97.** *Fath Ali Shah, Standing,* de Mihr Ali. Oajar Paintings. **98.** *Firdawsi and the three Court Poets of Ghazna,* ilustración del Shahnama (Libro de los reyes),de Abu'l-Oasim Manur Flrdawsi (934-1020), 1440-1445. The Bridgeman Art Library. **101.** *Bahram Gur and the Princess in the Black Pavilion,* pliego de Haft paykar (Seven Thrones) de Nizami. Oazwin, Iran, 1590. The Bridgeman Art Library. **102.** *Two Lovers* (macho), Reza Abbasi, fecha desconocida. Museo de Arte Metropolitano. **104.** Pliego de Haft paykar (Seven Thrones) de Nizami, siglo XVI. **105.** *Sealed youth holding a cup,* del Large Clive Album, 1610-1620. **106.** *The Conference of the Birds,* página de un manuscrito de *Mantiq al-Tayr (The Language of the Birds)* de Farid al-Din Altar. Safavid, Iran, 1600. **110.** *Khusrau sees Shilin bathing in a stream,* del *Khamsa of Nizami* de Tabriz, 1539-43. **112.** *Angel,* 1555 The British Museum. **114.** *The Death of Shilin,* ilustración para Khosro y Shilin de Elias Nezami (1140-1209),1504. The Bridgeman Art Library. **121.** Una escena del jardín de *Bustan of Sa'di (The Flower-garden of Sa'di),* un famoso trabajo persa de cuentos moralistas del poeta Muslih ad-Din Sa'di, Mandu. **122.** *Two Figures Reading and Relaxing in an Orchard,* 1540-1550. The Bridgeman Art Library **123.** Detalle de *Shah Abbas I (1588-1629) and a Courtier offering fruit and drink.* The Bridgeman Art Library. **126.** *Alexander Visits a Hermit.* Ilustración del *The Book of Alexander;* 1191, por Eiias Nezami (1140-1209), 1550. The Bridgeman Art Library.

1a. edición, septiembre 2012.

The Prophet
Khalil Gibrán

Copyright © 2010 Arcturus Publishing Limited. 26/27 Bickels Yard, 151-153 Bermondsey Street, London SE1 3HA

© 2012, Grupo Editorial Tomo, S.A. de C.V. Nicolás San Juan 1043, Col. Del Valle. 03100 México, D.F.
Tels. 5575-6615, 5575-8701 y 5575-0186 Fax. 5575-6695. http://www.grupotomo.com.mx
ISBN-13: 978-607-415-412-2. Miembro de la Cámara Nacional de la Industria Editorial No. 2961

Traducción: Mauricio Pichardo
Diseño de portada: Karla Silva
Formación Tipográfica: Armando Hernández R.
Supervisor de producción: Leonardo Figueroa

Este libro se publicó conforme al contrato establecido entre *Arcturus Publishing Limited* y *Grupo Editorial Tomo, S.A. de C.V.*

Impreso en México - *Printed in Mexico*

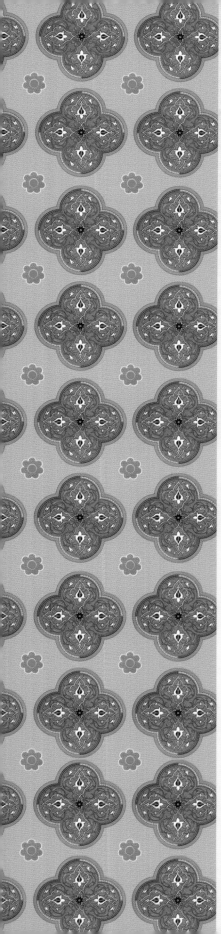

CONTENIDO

INTRODUCCIÓN

Cuando *El profeta* fue publicado por Alfred Knopf, en 1923, la crítica lo recibió fríamente, y en general, careció del beneplácito de sus dos primeros libros, *El loco* y *El precursor*. No obstante, de este inicial revés, *El profeta* se convirtió desde entonces en uno de los libros más vendidos de todos los tiempos, a través de la recomendación de boca en boca. Ha sido traducido a cuarenta lenguas —algunos expertos aseguran que a más de cien— y, con la llegada de la internet, *El profeta* se encuentra disponible en cientos de *websites*. Más aún, la permanente popularidad del libro ha llevado a sus seguidores a considerarlo casi un objeto de culto, que ha tenido como consecuencia la publicación de diversas y extensas biografías de su autor.

La historia de *El profeta* es muy sencilla. El libro comienza cuando el profeta Almustafá, "El Elegido", está por abandonar la ciudad de Orfalís —donde ha pasado los últimos doce años— a bordo de un barco que lo llevará de regreso a su tierra natal.

Al escuchar las noticias de su inminente partida, los habitantes de Orfalís se reúnen para rogarle que no los abandone. Como Almustafá y la gente cruzan la plaza de la ciudad, frente al templo, la vidente Almitra sale del santuario; sabiendo el anhelo del profeta por regresar a su tierra, Almitra se dirige a él, diciéndole: "Antes de que nos dejes, háblanos, expresa tu verdad, instrúyenos". Almustafá, contesta: "¿A qué podría yo referirme sino a lo que está moviendo vuestras almas?". Almitra replica: "Háblanos del amor", y habiendo hablado de este y otros numerosos temas, responde a la gente de Orfalís. Finalmente, Almustafá aborda el barco y navega hacia la niebla.

Son obvios los paralelismos de las situaciones en las que se encuentran los propios Almustafá y Gibrán; al igual que el profeta, el autor fue a vivir a un país extranjero: Estados Unidos de Norteamérica, muy lejos de su tierra natal: Líbano. Existen además, sutiles paralelismos que son universales —incluso arquetípicos— esto se entiende mejor cuando uno está familiarizado con los principales acontecimientos de la vida de Khalil Gibrán, como puede verse en la biografía publicada al final de este volumen.

Los mínimos aspectos de la vida de Gibrán tienen mucho en común con el mito clásico del viaje del héroe, en el cual el protagonista trasciende su inicial obscuridad y pobreza, para obtener fama y fortuna antes de regresar a su hogar. En la época de Gibrán, todos aquellos mitos hacían eco en las aspiraciones materiales de quienes emigraban a Norteamérica, y cuando los aspectos de la migración fueron eliminados, dichos mitos se transformaron en el *Sueño Americano*. Resulta claro, que el autor de *El profeta* prefirió dar más importancia al aspecto espiritual que al material, en aquella jornada con Almustafá. Gibrán recibió su educación inicial de un sacerdote local, pero su familiaridad con la Biblia, su contacto con el Sufismo (el corazón místico del Islam) y los escritos de Bahá'u'lláh (fundador de la fe Bahái), lo marcaron profundamente. Tal como lo reveló en el siguiente extracto de sus escritos, él fue por encima de todo, "un poderoso defensor de la unidad del ser".

"Todas las cosas de la creación existen dentro de ti; no hay límites entre las cosas más cercanas y tú; ni distancia entre las cosas lejanas y tú; lo más bajo y lo más alto; lo más pequeño y lo más grande, todas están dentro de ti como cosas iguales".

El sentido de unidad de Gibrán —no sólo la unidad del ser, sino de la vida— le permitió crear un vínculo, o al menos un puente entre las muchas dualidades que parecen haber caracterizado su vida: tuvo dos carreras, la de artista y la de escritor; escribió en dos lenguas: árabe e inglés; tuvo su casa en dos diferentes culturas: en Medio Oriente y en Occidente. Había también una paradójica dualidad de aislamiento e interconexión; para el aislamiento Gibrán tuvo que buscar del lado de su país, donde su infancia le otorgó un poderoso sentido de interconexión con la naturaleza y con la vida; mientras que la vida llena de experiencias en Boston y Nueva York, le dieron sentido a su propia singularidad.

Esta última dualidad, una experiencia que en mayor o menor medida, hemos experimentado todos nosotros, seamos o no recompensados, se encuentra de todas maneras en el corazón de *El profeta,* el mito arquetípico del héroe de Gibrán. El país de nacimiento, donde ambos, el héroe y Almustafá regresan, puede ser como una metáfora del vasto océano del ser, que es también un hogar para cada uno de nosotros. La llamada del océano es irresistible para nosotros, como pronto lo reconoce Almustafá en *El profeta.* "El mar, que llama todas las cosas hacia sí, me llama y debo embarcarme".

Esta metafórica llamada del océano es una llamada para que reconozcamos nuestra propia vastedad. En realidad, es una llamada que constantemente viene de nuestro interior. Cuando Gibrán resumió la esencia de este libro, dijo: "El profeta entero dice una sola cosa: 'Tú eres mucho más grande de lo que crees, y todo está bien'". En otras palabras *El profeta* nos recuerda que sabemos eso, y que nos mentimos interiormente, en silencio, cada vez que tenemos la capacidad para traspasar nuestro yo *pigmeo* y la vasta experiencia de nuestro dios interno.

Por lo tanto, la principal razón de que *El profeta* continúe con su generalizada popularidad, se debe a que reconocemos intuitivamente la hasta ahora tácita sabiduría o el "conocimiento del corazón" que existe dentro de estas páginas. Por lo que Almustafá dice a la gente de Orfalís, y a nosotros los lectores:

"Yo me dirijo a ustedes con palabras, que siempre han estado en su pensamiento". A través de las palabras de su epónimo profeta, Gibrán deja claro que no está revelando nada que no sepamos ahora: "Ningún hombre puede revelarte nada que no exista previamente, en letargo, desde el amanecer de tu conocimiento".

¿Y qué sucede cuando nuestro umbral de conocimiento es transformado a plena luz del día? Y al final del libro, cuando Almustafá está a punto de abordar el barco que lo llevará a casa, deja a la gente de Orfalís con estas proféticas palabras: "Porque ese día les serán revelados los ocultos designios de las cosas".

John Baldock

LA LLEGADA DEL BARCO

PUEBLO DE ORFALÍS: ¿A QUÉ PODRÍA
YO REFERIRME SINO A LO QUE ESTÁ
MOVIENDO VUESTRAS ALMAS?

Almustafá, el elegido y el bienamado, quien era como el alba de su propio día, tuvo que esperar doce años en la ciudad de Orfalís la llegada del barco que habría de conducirlo de regreso hasta la isla donde nació.

Y fue en el décimo segundo año, el séptimo día del mes de cosecha, que él había escalado la colina que se alza tras la muralla de la ciudad para mirar hacia el mar, desde donde contempló su barco que arribaba con la niebla.

Las puertas de su corazón se abrieron, y su aliento alegre voló más allá del mar. Cerró los ojos y rezó desde el silencio de su alma.

�֎

Pero al descender por la colina, una enorme tristeza se apoderó de él, y pensó desde su corazón:

¿Cómo me iré de aquí en paz y sin dolor? De ningún modo podré dejar esta ciudad, sin que me hiera el alma.

Largos fueron los días de pena, que viví dentro de estas murallas, y muy largas fueron las noches de soledad. ¿Quién puede alejarse de su dolor y de su soledad sin arrepentirse?

Hay gran cantidad de fragmentos de mi espíritu diseminados en estas calles, y también son muchos los niños de mi añoranza que deambulan desnudos por estas colinas, y no puedo apartarlos sin sufrir.

No es un ropaje del que ahora me despojo; sino una piel que desgarro con mis propias manos.

No es un pensamiento que deje tras de mí; sino un corazón hecho dulzura con hambre y con sed.

✖

Ya no puedo permanecer aquí más tiempo.

El mar, que llama todas las cosas hacia sí, me llama y debo embarcarme.

Pues quedarse, aunque las horas ardan por las noches, es congelarse y cristalizarse dentro de un molde.

Estaría feliz si pudiera llevarme todo lo que hay aquí. Pero ¿cómo podría hacer algo así?

Una voz que no puede llevar consigo la lengua y los labios, debe buscar sola el éter.

Y sola y sin su nido, el águila debe volar al otro lado del sol.

Cuando llegó al pie de la colina, de nuevo volvió la mirada hacia el mar: la nave se acercaba a la bahía y sobre la cubierta iban los marineros, los hombres de su propia tierra.

Y su alma gritó hacia ellos, y él dijo:

Hijos de mi anciana madre, jinetes de las mareas,

Ustedes han navegado con frecuencia en mis sueños. Y ahora han acudido en mi despertar, el cual es mi más profundo sueño.

Estoy listo para irnos, y mi impaciencia con las velas henchidas, aguarda el viento.

Sólo una vez más respiraré este aire, sólo otra amorosa mirada hacia atrás,

Luego seré como ustedes, marino entre los marinos.

Y tú, la mar extensa, la madre durmiente,

Tú sola eres la paz y la libertad del río y los arroyos,

Sólo una vuelta más dará este arroyo; sólo otro murmullo en este bosque,

Y luego volveré a ti, como una gota infinita que retorna a un océano infinito.

Y mientras caminaba vio a lo lejos que hombres y mujeres dejando sus campos y sus viñedos; se aproximaban presurosos a las puertas de la ciudad.

Y escuchó voces llamándolo por su nombre, y la
gritería de lado a lado del campo, anunciando
la llegada del barco.

Y se dijo a sí mismo:

¿Así será el día de la despedida y el día de la
reunión?

¿Se dirá que el día de mi crepúsculo fue
verdaderamente mi amanecer?

¿Y qué puedo darle a quien ha dejado su arado a
mitad del campo o a quien ha detenido la rueda
de su molino?

¿Llegará a ser mi corazón un árbol tan generoso
que yo pueda recoger los frutos para dárselos?

¿Fluirán mis deseos como una fuente con la que
yo pueda llenar sus copas?

¿Acaso soy un arpa, o la mano que podría
tocarme, o una flauta por la que pase su aliento
a través de mí?

Yo, que me sumerjo en mis silencios, ¿acaso he
encontrado un tesoro que pueda entregarles
con confianza?

¿Si es este mi día de cosecha, en qué surcos he
sembrado la semilla; en qué olvidada estación?

Si efectivamente ha llegado la hora de levantar
mi lámpara, no es mi flama la que arde ahí
dentro.

Vacía y oscura quedará mi lámpara,

Y un guardián nocturno la llenará de aceite
para encenderla de nuevo.

Esas cosas las dijo en palabras. Pero muchas más permanecieron en su corazón. Porque ni él mismo era capaz de expresar su profundo secreto.

Y cuando él entró en la ciudad, todo el pueblo vino a conocerlo, y lo aclamaron a una voz.

Los ancianos de la ciudad se adelantaron y dijeron:

No te alejes de nosotros todavía.

Has sido tú el mediodía de nuestro crepúsculo, y la juventud que nos diste ha sido como un sueño que soñar.

No eres un extranjero para nosotros, no eres un huésped; sino nuestro hijo bienamado.

Que nuestros ojos no sufran aún por el hambre de tu rostro.

Los sacerdotes y sacerdotisas se dirigieron a él:

No dejes que las olas del mar nos separen ahora, y que los años que hemos vivido se conviertan en recuerdo.

Tú eres para nosotros un aliento de vida, y tu sombra es como un reflejo en nuestro rostro.

Mucho te hemos amado. Pero nuestro amor se llenó de velos y no pudimos expresarlo.

Pero ahora clama con fuerza hacia ti, y desespera por revelarse ante ti.

Y será porque el amor no conoce qué tan profundo es, sino llegada la hora de la separación.

Y llegaron otros y le pidieron quedarse para siempre. Pero él les dijo que no. Sólo movió su cabeza; y aquellos que lograron acercarse vieron lágrimas cayendo sobre su pecho.

Y entonces él y el pueblo se encaminaron hacia la gran plaza, frente al templo.

Una mujer llamada Almitra salió del templo y fue a su encuentro. Era una vidente.

Él la miró con excesiva ternura, ella era la primera a quien se había dirigido y había creído en él cuando llegó a la ciudad.

Ella lo saludó diciendo:

Profeta de Dios, en busca de lo infinito, durante mucho tiempo has buscado tu nave.

Y ahora ha llegado tu nave; y debes partir.

Profundo es tu anhelo por la tierra de tus recuerdos, donde habitan tus más grandes deseos. El amor y la necesidad nuestros son poca cosa frente a eso.

Pero te suplicamos; antes de que nos dejes, que nos hables, entréganos tu verdad.

Tu palabra pasará a nuestros hijos y ellos, a su vez, la dirán a nuestros hijos; y no perecerá.

Has velado nuestros días en tu soledad, y en tu despertar has escuchado el gemir y la risa de nuestro sueño.

Ahora te pedimos que descubras lo que hay en nosotros, lo que se te ha revelado respecto a lo que existe entre el nacer y el morir.

Almustafá respondió:

Pueblo de Orfalís: ¿A qué podría yo referirme sino a lo que está moviendo vuestras almas?

DEL AMOR

PORQUE EL AMOR NO QUIERE OTRA COSA
SINO LLENARSE DE SÍ MISMO; PORQUE EL
AMOR NO POSEE NI PUEDE SER POSEÍDO.
PORQUE EL AMOR SE COLMA EN EL AMOR.

Después, Almitra dijo: háblanos del Amor.

Almustafá levantó la cabeza y miró al pueblo, se hizo un gran silencio. Y con una estentórea voz, dijo:

Cuando el amor te llama, síguelo,

Aunque sus senderos sean tortuosos y escarpados.

Cuando las alas del amor te envuelvan, ríndete a él.

Aunque oculte una espada entre sus alas y pueda herirte.

Cuando el amor hable, cree en él.

Aunque las voces del amor pudieran deshacer nuestros sueños como devasta el viento del norte los jardines.

※

El amor puede ser tu corona, pero también puede ser un crucifijo para ti. Lo mismo que te hace crecer, también habrá de podarte.

Asciende a nuestras alturas y acaricia las ramas enhiestas y delicadas que vibran bajo el sol,

También se hundirá en nuestras raíces y las moverá por más que se hiendan en lo profundo de la tierra.

El amor te cosechará como se recogen las mazorcas de maíz.

El amor te desgranará hasta desnudarte completamente.

El amor te cernirá para quitarte la cáscara.

Te molerá hasta dejarte completamente blanco.

Te amasará hasta volverte maleable;

Y luego el amor te llevará hasta el fuego sagrado,

Y hará de ti un pan sagrado para la fiesta sagrada de Dios.

※

Todas estas cosas hará el amor en ti, para que puedas entender los secretos de tu corazón, y ese conocimiento se volverá un fragmento de la vida de tu corazón.

※

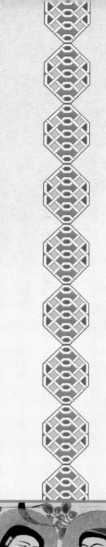

Pero si por tu miedo sólo buscaras la paz y el placer del amor,

Sería mejor para ti cubrir tu desnudez y huir del amor,

Hacia un mundo sin invierno ni primavera, donde se podrá reír, sin agotar tu risa, y llorar sin verter todas tus lágrimas.

✳

Porque el amor no quiere otra cosa sino llenarse de sí mismo.

Porque el amor no posee ni puede ser poseído;

Porque el amor se colma en el amor.

Cuando amas no puedes decir: "Es Dios el que está en mi corazón"; más bien debes decir: "Soy yo quien está en el corazón de Dios".

Y no debes pensar que puedes dirigir el curso del amor. El amor encuentra directamente su curso.

✳

El amor no tiene otro deseo que llenarse de sí mismo.

Pero si tu amor tiene grandes deseos, permite que éstos sean tus deseos:

Fluir como el arroyo que canta en medio de la noche.

Conocer el dolor de una enorme ternura.

Sentir la herida que se te abre cuando comprendes el amor;

Y sangrar con alegría.

Despertar amaneciendo con las alas abiertas en el corazón, dando gracias al sol por otro día para amar;

Descansar al atardecer y meditar en el éxtasis del amor;

Regresar a casa en el ocaso, agradecido:

Y luego dormir con un rezo de amor hacia el amado y un canto de alabanza en los labios.

DEL MATRIMONIO

CANTEN Y BAILEN JUNTOS, SEAN ALEGRES;
PERO QUE CADA UNO SEPA ESTAR SOLO,
COMO LO ESTÁN LAS CUERDAS DE UN LAÚD;
AUNQUE VIBREN CON LA MISMA MÚSICA.

Después, Almitra habló de nuevo y dijo:

¿Y qué hay del Matrimonio, maestro?

Y él respondió, diciendo:

Ustedes han nacido juntos y seguirán juntos eternamente.

Seguirán juntos aunque las blancas alas de la muerte esparzan sus días.

¡Ay! Y juntos permanecerán incluso en la silente memoria de Dios.

Pero permitan que haya espacios en su unión.

Y dejen que los vientos del cielo dancen entre ustedes.

✷

Ámense uno al otro sin hacer una prisión del amor:

Es preferible que su amor se mueva como un mar entre las playas de sus almas.

Sírvanse uno al otro el vino, pero no beban en la misma copa.

Coman cada uno su pan, pero no coman de la misma hogaza.

Canten y bailen juntos, sean alegres; pero que cada uno sepa estar solo,

Como lo están las cuerdas de un laúd; aunque vibren con la misma música.

Entréguense su corazón, pero que ninguno guarde el corazón del otro.

Pues sólo la mano de la vida puede contener sus corazones.

Permanezcan juntos, pero no demasiado próximos:

Pues las columnas de un templo están siempre juntas, pero separadas,

El encino y el ciprés no crecen uno a la sombra del otro.

DE LOS NIÑOS

PUEDES DARLES TODO TU AMOR,
PERO NO TUS PENSAMIENTOS;
PORQUE ELLOS TIENEN SUS PROPIOS
PENSAMIENTOS. ES POSIBLE ENTRAR
EN SUS CUERPOS; PERO NO EN SUS ALMAS;
PORQUE SUS ALMAS HABITAN LA CASA
DEL MAÑANA, A LA QUE NO SE PUEDE
ENTRAR NI EN SUEÑOS.

Y una mujer quien cargaba una criatura junto a su pecho, dijo: ¡háblanos de los Niños!

Y él dijo:

Tus hijos no son tus hijos.

Ellos son hijos e hijas del anhelo de la propia vida.

Se conciben a través de ti, pero no vienen de ti,

Y aunque ellos vivan contigo, no te pertenecen.

Puedes darles todo tu amor, pero no tus pensamientos;

Porque ellos tienen sus propios pensamientos.

Es posible entrar en sus cuerpos; pero no en sus almas;

Porque sus almas habitan la casa del mañana, a la que no se puede entrar ni en sueños.

Es posible ser como ellos, pero no intentes hacerlos como tú.

Porque la vida no regresa ni se queda en el camino del ayer.

Tú eres el arco del que se proyectan tus hijos como una flecha lanzada hacia adelante.

El Arquero observa el blanco desde el infinito y su poder es mayor que el nuestro, de modo que sus flechas vuelan ágiles, muy lejos.

Deja que la mano del Arquero se desplace alegremente;

Porque incluso él ama la flecha que vuela así; él ama el arco que es estable.

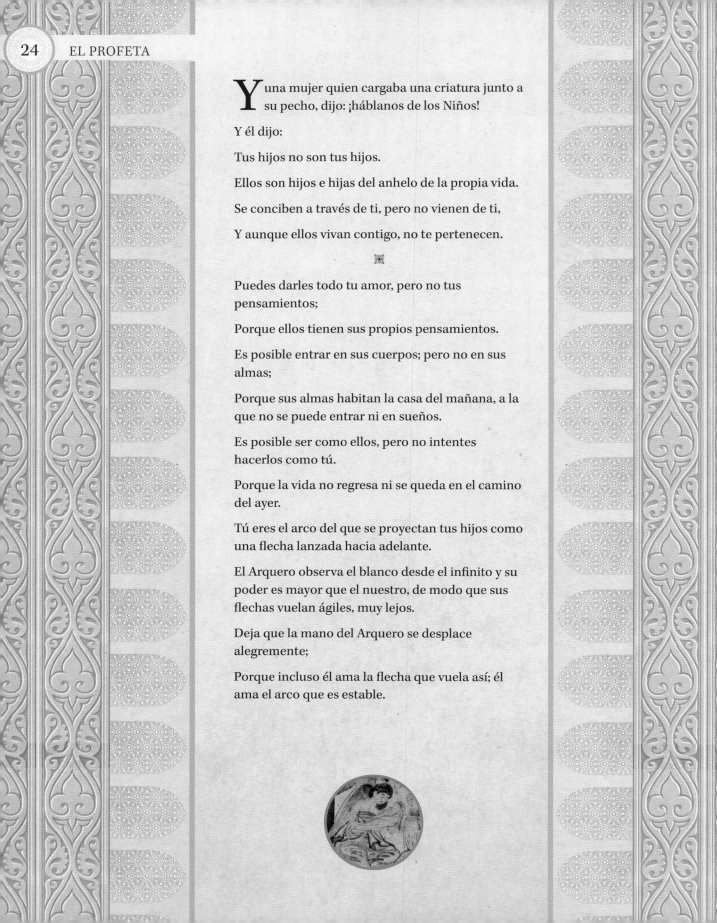

DE LOS REGALOS

PRIMERO MÍRATE A TI MISMO COMO
LO MERECES, Y COMO UN INSTRUMENTO
DE LA GENEROSIDAD. PORQUE EN VERDAD
ES LA VIDA LA QUE DA LA VIDA; MIENTRAS
QUE A TI, TE CORRESPONDE SER TESTIGO.

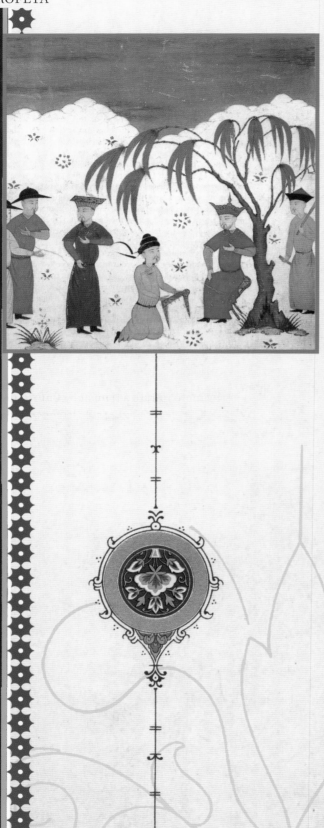

Luego habló un hombre rico, y dijo: háblanos de los Regalos.

Y él respondió:

Cuando regalas lo que tienes, es muy poco lo que das.

Entrégate a ti mismo y entonces realmente serás generoso.

¿Qué son tus posesiones sino aquello que guardas por temor al mañana?

¿Y qué es el mañana? ¿Qué significa el mañana para el perro previsor que escarba la arena y deja ahí su hueso mientras sigue el peregrinaje de sus amos hacia la ciudad sagrada?

¿Qué otra cosa es la necesidad, sino el miedo a la necesidad misma?

Cuando la fuente está llena ¿no es el miedo a la sed, lo que produce una insaciable sed?

Hay muchos que dan muy poco de lo que en realidad poseen, y lo dan a la vista de todos; pero sus regalos carecen de valor porque hay algo que se oculta detrás de su generosidad.

Y también existen los que tienen muy poco, pero todo lo dan.

Ellos son los que creen en la vida, sienten la vida como un acto de generosidad; por lo que sus arcas nunca estarán vacías.

Hay quienes dan con alegría y la alegría es su recompensa.

Y hay quienes dan con dolor y esa es su expiación.

Pero hay quienes dan sin dolor ni placer; ni siquiera por el premio a la virtud;

Ellos se entregan como la flor del valle, que esparce su aroma en el viento.

Es a través de sus manos como Dios habla, y desde detrás de sus ojos Él sonríe sobre la tierra.

Es bueno dar cuando te es solicitado; pero es mejor cuando respondes a los impulsos del corazón;

Cuando des con las manos abiertas, busca en la necesidad ajena el placer de compartir.

¿Existe alguna cosa que se pueda retener?

Todo lo que tienes le será dado a alguien algún día;

Sin embargo, es mejor dar ahora que puedes darlo tú, y no tus herederos.

Es muy frecuente que alguien diga: Yo sólo doy a quien lo merece.

Pero los árboles de tu huerto y tus rebaños no han considerado nunca tal cosa.

Ellos dan, ellos regalan lo mejor de sí mismos para escanciar la vida, porque retener es perecer.

Quien merece el beneficio de sus días y sus noches también merece todo de ti.

Y quien ganó el derecho de beber el océano de la vida, tiene también el derecho de llenar su copa en sus pequeños arroyos.

¿Podría concebirse aridez mayor que donde falta la caridad? ¡Qué vacío tan grande donde no hay fe ni en el pedir ni en el dar!

¿Quién eres tú para exigir que los demás doblegen su orgullo y escondan sus méritos?

Primero mírate a ti mismo como lo mereces, y como un instrumento de la generosidad.

Porque en verdad es la vida la que da la vida; mientras que a ti, te corresponde ser testigo.

Y si tú recibes —tú eres todos los necesitados— no te dejes llevar por el peso de la gratitud desmesurada; no cargues con ese yugo sobre ti, ni lo pongas sobre el cuello de quien da.

Es preferible extender las alas y volar juntos, el que da y el que recibe;

Pues quien exagera en la gratitud hace que el generoso dude que tiene por madre a la tierra y por padre a Dios.

DEL COMER Y BEBER

EN EL OTOÑO, CUANDO LLEGUE LA VENDIMIA
Y LA UVA SE DEPOSITE EN EL LAGAR,
DI EN TU CORAZÓN: "YO TAMBIÉN SOY EL FRUTO
DE LA VIÑA Y ME UNIRÉ A LA MOLIENDA,
DE MÍ SALDRÁ UN VINO NUEVO, Y
PERMANECERÉ EN LOS ODRES ETERNOS".

Después, un viejo hostelero dijo: háblanos de los Alimentos y la Bebida.

Y él dijo:

Podrías vivir de la fragancia de la tierra, como viven las plantas que carecen de raíces y viven de la luz.

Pero como tienes que matar para comer, y robar leche materna del recién nacido para apagar tu sed, haz entonces un acto de adoración,

Deja que tu mesa sea un altar en el cual los seres puros e inocentes del bosque y la planicie, sean inmolados en honor de lo que no tiene mancha, la mayor pureza del hombre.

Cuando mates un animal, di en tu corazón:

“Por el mismo poder que te asesina, yo también moriré; y seré consumido”.

“Porque esta ley que te trajo hasta a mí, habrá de llevarme a manos poderosas”.

“Tu sangre y la mía son nada, pero son la savia que alimenta el árbol del cielo”.

Al morder una manzana, repite en tu corazón:

"Tus semillas vivirán en mi cuerpo,

"Y los capullos florecerán mañana en mi corazón,

"Y juntos nos regocijaremos a través de las estaciones".

Y en el otoño, cuando llegue la vendimia y la uva se deposite en el lagar, di en tu corazón:

"Yo también soy el fruto de la viña y me uniré a la molienda, de mí saldrá un vino nuevo, y permaneceré en los odres eternos".

Cuando llegue el invierno y se escancie la copa;

Hay que dejar que fluya el canto como un recuerdo del otoño, de la viña y del lagar.

✳

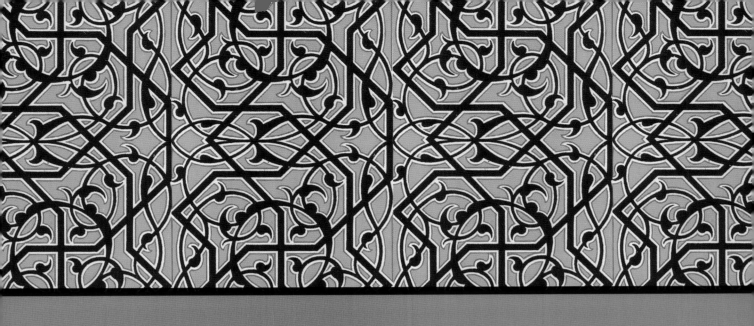

DEL TRABAJO

CUANDO TRABAJAS CON AMOR,
TE UNES CONTIGO MISMO,
CON LOS OTROS, Y CON DIOS.

Luego un campesino dijo: háblanos del Trabajo.

Y él contestó, diciendo:

Tu trabajo debe conservarse en armonía con la tierra y con el alma de la tierra.

Porque estar ocioso es volverse un extraño incluso para las estaciones, y la procesión de la vida marcha majestuosa con orgullosa sumisión hacia el infinito.

�

Cuando trabajas, eres una flauta que suena a través del corazón y el murmullo de las horas se convierte en música.

¿A quién de ustedes le gustaría convertirse en un carrizo, tonto y mudo, cuando todos los demás cantan al unísono?

✦

Siempre se ha dicho que el trabajo es dolor y maldición y el cansancio es infortunio.

Pero yo digo que al trabajar se cumple con uno de los sueños más profundos de la tierra y ese sueño se nos imprime en el alma cuando nacemos,

El trabajo es una forma esencial de amor a la vida,

Y al amar la vida a través del trabajo, tú amas verdaderamente la vida, es una manera íntima de asumir su más profundo secreto.

Pero si en la melancolía llamamos dolor al nacimiento, una aflicción que alimenta nuestra carne, una maldición escrita sobre tu ceja, entonces yo digo que no hay nada mejor para borrar esta maldición que el sudor de nuestra frente.

✦

También has dicho que la vida es oscura; este pensamiento es producto del cansancio y tú lo repites desde tu tranquilidad.

Yo te digo que la vida es ciertamente dolorosa, salvo cuando hay un impulso,

Pero todo impulso es ciego salvo cuando hay conocimiento,

Y todo el conocimiento es inútil salvo cuando hay trabajo,

Y todo trabajo resulta vacío salvo cuando hay amor;

Y cuando trabajas con amor, te unes contigo mismo, con los otros y con Dios.

✦

Pero ¿qué significa trabajar con amor?

Es sacar la fibra del corazón, incluso como si tu amado fuera a usar esa ropa.

Es construir una casa con cariño, como si tu amado fuera a vivir en esa casa.

Es sembrar con ternura para recoger la cosecha con alegría, como si tu amado fuera a comer ese fruto.

Trabajar con amor es dar a las cosas el soplo creativo de tu propio espíritu,

Y es saber que los muertos venerados están de pie, observándote.

✦

Con frecuencia escucho a quienes hablan como en sueños diciendo: "Aquel que trabaja el mármol y esculpe en la piedra la imagen de su propia alma, es un ser más noble que quien ara la tierra".

"Y aquel que se apropia del arco iris para plasmarlo sobre la ropa del hombre, es una persona que vale más que el que fabrica sandalias".

Pero yo digo, no es un sueño, y entre más despierto estoy, digo que el viento no sopla con mayor dulzura sobre los enormes robles y que las insignificantes hojas de hierba se mueven con la misma brisa;

Sólo es grande quien usa la voz del viento para componer un canto de su propio amor.

El trabajo es el amor que se hace visible.

Si no puedes trabajar con amor y sólo sientes pena y disgusto, deberías entonces abandonar el trabajo y sentarte a las puertas del templo para mendigar una limosna para quienes trabajan con alegría.

Porque si el panadero trabajara con indiferencia, sólo produciría pan amargo que calmaría a medias el hambre de la gente.

Y quien encuentra repugnante extraer el mosto, envenenará el vino con su propia amargura.

El que desee cantar como los ángeles, pero no sea capaz de amar su canto, solamente hará que los hombres no puedan escuchar las voces del día y de la noche.

DE LA ALEGRÍA Y DE LA TRISTEZA

EN VERDAD ESTÁS SUSPENDIDO COMO EL FIEL DE LA BALANZA, ENTRE TU TRISTEZA Y TU ALEGRÍA. SÓLO CUANDO TE ENVUELVA EL VACÍO SE TE DARÁ LA QUIETUD Y EL EQUILIBRIO.

Luego una mujer dijo: háblanos de la Alegría y la Tristeza.

Y él respondió:

Tú alegría es tu tristeza desenmascarada.

Y de la misma manera, el manantial del que brota tu risa se alimenta a veces con tus lágrimas.

¿Y cómo puede ser esto?

El escultor que cincela con tristeza, imprime en tu ser una mayor alegría de la que eres capaz de sentir.

¿Acaso la copa en la que se escancia nuestro vino, no fue cocida con fuego en el horno del alfarero?

¿Acaso el laúd, el que calma tu espíritu, no fue tallado con cuchillos?

Cuando estés totalmente feliz, debes mirar en el fondo de tu corazón y ahí encontrarás que tu alegría procede de algún acto de tristeza.

Y así también en la tristeza, si vuelves tu mirada a tu interior, descubrirás que tu llanto procede de alguna remota alegría.

✻

Algunos dicen: "La alegría es más grande que la tristeza",

y otros dicen, "No, la tristeza es más grande".

Pero yo te digo que ambas son inseparables.

Juntas vienen, y cuando una te acompaña a la mesa, recuerda que la otra duerme en tu lecho.

✻

En verdad estás suspendido como el fiel de la balanza, entre tu tristeza y tu alegría.

Sólo cuando te envuelva el vacío se te dará la quietud y el equilibrio.

Cuando el guardián del tesoro te llame para pesar su oro y su plata, el fiel de la balanza oscilará según el alma esté cargada de alegría o de tristeza.

DE LA CASA

¿...LA COMODIDAD SE INSTALA CAUTELOSA
EN TU CASA PRIMERO COMO HUÉSPED,
DESPUÉS COMO ANFITRIÓN, Y
FINALMENTE COMO UN AMO?

Luego, un constructor se adelantó y dijo: háblanos de la Casa.

Y él respondió:

Debes construir en tu imaginación una choza en la selva antes de erigir una casa dentro de los muros de la ciudad.

Porque así como, al caer la noche, se anhela el dulce retorno al hogar, el ser errante que llevas dentro busca la lejanía y la soledad.

Tu cuerpo es tu casa más grande.

Crece bajo el sol y duerme en la quietud de la noche poblada de sueños; ¿acaso cuando duerme no sueña en cambiar la ciudad por la cumbre de la colina?

✳

¡Cómo me gustaría juntar nuestras moradas en mi puño y esparcirlas como un sembrador por bosques y praderas!

¡Cómo me gustaría que los valles fueran tus calles, y los verdes senderos tus callejones, que pudiéramos encontrarnos uno a otro entre los campos y los viñedos, como llega la fragancia de la tierra a tus vestidos!

Pero todas esas cosas no pueden ser aún.

Nuestros antepasados, llenos de temor, se juntaron demasiado unos con otros y ese temor subsiste. Durante un tiempo más, las murallas de las ciudades mantendrán separados los hogares de tus campos.

✳

¿Y díganme, gente de Orfalís, qué hay en esas casas? ¿Qué guardan con puertas tan sólidas?

¿Es acaso la paz, ese impulso del alma que revela su poder?

¿O tal vez tus recuerdos se tensan como relucientes arcos, en otra cima de la mente?

¿Se trata de una gran belleza que conduce al corazón desde casas de madera y piedra, hasta la montaña sagrada?

Dime. ¿Es esto lo que existe en sus casas?

¿O tal vez sólo tienes apego a la comodidad,

la comodidad que se instala cautelosa en tu casa primero como huésped, después como anfitrión, y finalmente como un amo?

✳

Y se vuelve un domador, y con su látigo maneja como marionetas tus más grandes deseos.

Aunque sus manos son de seda, su corazón es de acero.

Te arrulla para dormir, pero se queda junto al lecho y se burla de la dignidad de la carne.

Se burla de tus sentidos y los coloca sobre el carbón, cual frágiles vasijas.

En verdad, el apego a la comodidad asesina la pasión íntima del alma y asiste a su funeral.

✳

Pero tú, hijo del cielo, que no pierdes su voluntad en el descanso, resistirás sin ser domado.

Tu morada no será un ancla sino un mástil.

No será la venda que cubra una herida, sino el párpado que protege el ojo.

No pliegues tus alas para cruzar la puerta y tu cabeza no se inclinará bajo el techo. No tengas miedo alguno de que los muros pudieran derrumbarse.

No habitaremos en tumbas hechas por el muerto para el vivo,

A pesar de su magnificencia y esplendor, esas moradas no serán el encierro de nuestros secretos ni la guarida de tu deseo.

Porque aquello de nosotros que es infinito, mora en la mansión celeste, cuya puerta es la niebla de la mañana y cuyas ventanas son los cantos y silencios de la noche.

DE LA ROPA

Y NO OLVIDES QUE LA TIERRA SE
DELEITA AL SENTIR LA DESNUDEZ
DE TUS PIES, Y AL VIENTO LE GUSTA
JUGAR CON TU CABELLERA.

Entonces un tejedor dijo: háblanos de la Ropa.

Y él respondió:

Las ropas ocultan mucho de tu belleza, pero no esconden la fealdad.

Aunque a veces busques ocultar tu intimidad con las prendas, los vestidos fácilmente se convierten en cadenas.

Sería bueno recibir el sol y el viento más con tu piel que con tus ropas.

Porque el aliento de vida está en la luz del sol y la mano de la vida es el viento.

❋

Algunos dicen: "Es el viento del norte el que ha tejido la ropa que usamos".

Y yo digo: sí, fue el viento del norte.

Pero triste y vergonzoso era su telar y débil la urdimbre.

Cuando su trabajo se hizo hubo una risa en el bosque.

No olvides que la modestia es como un escudo contra el ojo impuro.

Cuando no haya más impuros, ¿qué será el pudor sino un grillete de la mente?

Y no olvides que la tierra se deleita al sentir la desnudez de tus pies, y al viento le gusta jugar con tu cabellera.

DE COMPRAR Y VENDER

LA ABUNDANCIA Y LA SATISFACCIÓN PROCEDEN DEL INTERCAMBIO DE REGALOS CON LA TIERRA. PERO CUANDO EL TRUEQUE NO SE REALIZA CON JUSTICIA Y AMOR, NO ENCONTRAREMOS SINO AVARICIA Y HAMBRE.

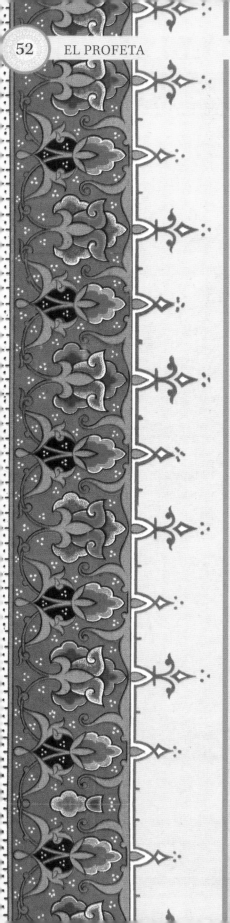

Y un mercader dijo: háblanos de Comprar y Vender.

Y él respondió:

La tierra te prodiga sus frutos, y no deberías desear más de lo que cabe en tus manos.

La abundancia y la satisfacción proceden del intercambio de regalos con la tierra.

Pero cuando el trueque no se realiza con justicia y amor, no encontraremos sino avaricia y hambre.

✳

Cuando los mercaderes que explotan el mar, los campos y los viñedos, se reúnan con los alfareros y los recolectores de especias, hay que invocar entre todos al Espíritu de la Tierra para que se manifieste ante ti y santifique la balanza en que se pesan los valores.

No toleres que los perezosos participen en tus negocios, porque ellos quisieran comprar el producto del trabajo sólo con palabras.

A esos hombres se les debería decir:

"Vengan con nosotros al campo, o con nuestros hermanos a lanzar redes al mar";

"Porque la tierra y el mar serán igualmente generosos para todos".

✳

Y cuando lleguen los cantantes, los bailarines y los músicos, también hay que pagar sus ofrendas.

Porque ellos también son recolectores de frutos y trabajan como cualquier otro, aunque lo que producen está hecho de sueños, es alimento y vestido para el alma.

✳

Antes de abandonar el mercado, debemos procurar que nadie salga con las manos vacías.

Porque el espíritu de la tierra no dormirá en paz sobre el viento hasta que no queden satisfechas todas tus necesidades.

DEL CRIMEN Y DEL CASTIGO

Y ASÍ COMO UNA SOLA HOJA SE VA SECANDO Y EL ÁRBOL ENTERO LO SABE, DE IGUAL MANERA ES IMPOSIBLE QUE EL HOMBRE MALVADO EJECUTE SU VILEZA SIN LA SECRETA COMPLICIDAD DE TODOS USTEDES.

Después, uno de los jueces de la ciudad se adelantó diciendo: háblanos del Crimen y del Castigo.

Y él respondió, diciendo:

Cuando tu espíritu se desplaza en el viento,

Donde tú, solo y sin que nadie te vigile, cometes errores que afectan a otros y a ti mismo.

Y puesto que has cometido un error, debes tocar a la puerta del bendecido y esperar un momento de gracia.

✳

Tu dios interno es como un océano;

Permanece por siempre puro.

Y como el éter se eleva pero con alas.

Incluso el sol, es tu propio dios.

No conoce la madriguera del topo ni el escondite de la serpiente.

Pero tu propio dios no mora en tu ser.

Mucho en ti es humano, y mucho en ti ni siquiera alcanza a lo humano, como un enano deforme que camina en la niebla soñando con su propio despertar.

Y es de lo humano que hay en ti de lo que yo quiero hablar ahora.

Porque es en él y no en el dios propio, ni en el enano de la niebla, donde radica lo que se conoce del crimen y del castigo.

✳

Con frecuencia escucho hablar del hombre que comete una falta como si se tratara de un ser extraño y no de uno de ustedes, como si fuera un intruso en su mundo.

Pero yo digo que lo sagrado y lo justo no pueden elevarse más allá de la cumbre más alta de ti,

Al igual que lo malo y lo débil no pueden caer más bajo que la más profunda sima de tu alma.

Y así como una sola hoja se va secando y el árbol entero lo sabe como un secreto,

De igual manera es imposible que el hombre malvado ejecute su vileza sin la secreta complicidad de todos ustedes.

Como una procesión caminan juntos hacia su propio dios.

Ustedes son el camino y el caminante.

Y cuando uno de ustedes cae, es por aquellos que vienen detrás de él, porque señala la piedra con la que otros pudieran tropezar.

Y cae también por los que van delante y que pretenden ser más veloces y ligeros, pero que no han sabido quitar la piedra.

✳

Y aunque las palabras pesen en tu corazón:

El asesinado no es del todo irresponsable de su propio asesinato,

Y el despojado no puede declararse completamente inocente de haber sido robado.

El justo no es inocente por las acciones de los malvados,

Y el puro no está limpio de los pecados ajenos.

Sí, el culpable es con frecuencia víctima del ofendido.

Muchas veces el condenado carga las cadenas que debería compartir el que se declara inocente.

Tú no puedes separar lo justo de lo injusto y lo bueno de lo malo;

Pues juntos se entretejen como el hilo negro y el blanco y juntos se alzan de cara al sol.

Cuando se rompe el hilo negro, ¿no es prudente examinar la tela entera y el telar?

❋

Si se lleva a juicio a la mujer infiel,

Se debería juzgar también el corazón del marido y poner su alma en la balanza.

Hay que mirar el espíritu del ofensor antes de permitir que sea azotado por el ofendido.

Y si alguien quisiera castigar en nombre de la justicia, hay que esperar que el juez examine las raíces del árbol torcido;

Y verdaderamente encontrará las raíces del bien y del mal, lo fructífero y lo estéril se entrelazan en el silente corazón de la tierra.

Y es tu juez quien debería ser justo.

¿Cuál sería la sentencia en el caso de aquel que siendo honrado de cuerpo, es ladrón en espíritu?

¿Qué castigo le darías al que asesinó la materia, si antes se le había asesinado el alma?

¿Cómo procesar a quien actúa como tirano, si antes ha sido humillado y ofendido?

❋

¿Y cómo castigar a quien es devorado por un remordimiento mayor que sus delitos?

¿No es el remordimiento una forma de justicia natural y voluntaria?

No se puede sembrar el remordimiento en el corazón del inocente, ni erradicarlo del corazón del culpable.

Él mismo llamará en la noche para que los hombres despierten y se contemplen a sí mismos.

¿Cómo podríamos entender la justicia sin encarar los hechos a plena luz?

Sólo así sabremos que el erguido y el caído son el mismo hombre instalado en su crepúsculo, entre la noche de su propio enano y el día de su propio dios,

Y comprender que la piedra angular del templo no es mejor que la piedra que se coloca en lo más profundo de los cimientos.

DE LAS LEYES

¡PUEBLO DE ORFALÍS, USTEDES PUEDEN SILENCIAR LOS TAMBORES, AFLOJAR LAS CUERDAS DE LA LIRA, PERO ¿QUIÉN PODRÍA DECRETAR QUE LAS ALONDRAS NO CANTEN?

Luego, un jurista dijo: ¿qué dices de nuestras Leyes, maestro?

Y él respondió:

Te complace establecer leyes,

Pero te complace más romperlas.

Como los niños que juegan en la playa y construyen castillos de arena para después divertirse destruyéndolos.

Pero mientras que se construyen altas torres de arena, el mar lleva más arena a la costa,

Y luego cuando tú las destruyes, los océanos ríen contigo.

En verdad el océano ríe siempre con los inocentes.

✳

Pero ¿qué sucede con aquellos para quienes la vida es un océano y las leyes de los hombres no son como torres de arena,

Para quienes la vida es una roca, y la ley es para ellos un cincel con el que se puede grabar la propia imagen en la piedra?

¿Qué sucede con el cojo que odia a los bailarines?

¿Qué con el buey que ama su yugo y juzga a los animales de la selva como vagabundos?

¿Qué pasa con la vieja serpiente que por no desprenderse de su piel considera que todas las demás andan desnudas y son impúdicas?

¿Qué con quien llega temprano al banquete nupcial y harto de comer se marcha criticando las fiestas como actos de liviandad y a los invitados como transgresores de la ley?

✳

¿Hay quienes reciben la luz del día con la espalda vuelta hacia el sol?

Ellos solamente ven su sombra y la propia sombra es su ley.

¿Qué es entonces el sol para ellos, sólo el objeto que proyecta su sombra?

¿Y cómo podrían ellos mismos entender la bondad de sus leyes? Cuando su función es encorvarse y dibujar sombras en la tierra.

Para quien va de cara al sol, las sombras no son obstáculos porque no tienen substancia y no pueden detenerlo.

Tú que viajas con el viento, ¿qué veleta podría señalar el curso, si vas en el sentido del viento?

¿Qué ley humana te atará, si marchas sin yugo y no eres prisionero de nadie?

¿Qué leyes puedes temer, si en tu danza jamás tropezarás con las cadenas humanas?

¿Y quién habría de llevarnos a juicio?, si vamos con el vestido puesto, y aún desgarrado, pero no lo abandonamos en el camino.

¡Pueblo de Orfalís! Ustedes pueden silenciar los tambores, aflojar las cuerdas de la lira, pero ¿quién podría decretar que las alondras no canten?

DE LA LIBERTAD

EN EL BOSQUE DEL TEMPLO Y EN LA SOMBRA
DE LA CIUDADELA, YO HE VISTO A LOS MÁS
LIBRES CARGAR SU LIBERTAD, ESPOSADOS,
COMO SI DE UN PESADO YUGO SE TRATARA.

Fue un orador el que dijo: háblanos de la Libertad.

Y él contestó:

En el pórtico de la ciudad y junto al fuego de los hogares, yo he visto a muchos que se postran como en actitud de adoración ante su propia libertad,

Incluso se humillan como esclavos ante el tirano que está dispuesto a matarlos.

En el bosque del templo y en la sombra de la ciudadela, yo he visto a los más libres cargar su libertad, esposados, como si de un pesado yugo se tratara.

Y mi corazón sangró dentro de mí; pues sólo puedes alcanzar la libertad cuando se deja de buscar afanosamente, cuando se deja de hablar de la libertad como de un fin supremo, de una enorme satisfacción.

Serás libre de verdad cuando tus días transcurran sin una carga de preocupación y las noches no pasen como un deseo y un pesar,

Cuando llegues a estar por encima de estas cosas, desnudo y liberado.

Pero ¿cómo liberarte de tus días y noches si antes no rompes las cadenas que tu razón ha impuesto en el mediodía?

En verdad, aquello que llamamos libertad es la más fuerte de las cadenas; aunque sus eslabones brillen y deslumbren tus ojos.

¿Y si desecharas los fragmentos de tu propio ser podrías llegar a ser realmente libre?

Es una ley injusta la que deseas abolir; pero esa ley fue escrita con tus propias manos, sobre tu propia frente,

No podrías derogarla simplemente quemando los códigos o lavando las frentes de tus jueces; sería como vaciar el mar encima de ella.

Si es un tirano al que queremos destronar, es necesario destruir primero el trono que le hemos erigido dentro de nosotros.

Porque ¿cómo puede un tirano gobernar al libre y al orgulloso, sino por la tiranía de su propia libertad y la vergüenza de su propio orgullo?

Cuando se busca alivio de una ansiedad, hay que entender que ha sido impuesta por nosotros mismos.

Y si es un miedo el que pretendes disipar, tienes que recordar que el miedo está en tu corazón y no en las manos de quien se teme.

Verdaderamente, todas las cosas se agitan en tu ser en constante abrazo: lo que deseamos, y lo que tememos; lo repulsivo y lo que apreciamos; lo que perseguimos y aquello de lo que tratamos de escapar.

Todas esas cosas se mueven dentro de ti, como las luces y las sombras, en pares adheridas.

Y cuando la sombra desaparece, la luz que se consume se convierte en una sombra para otra luz.

Y así tu libertad, cuando rompe sus grilletes, se convierte en el grillete de una mayor libertad.

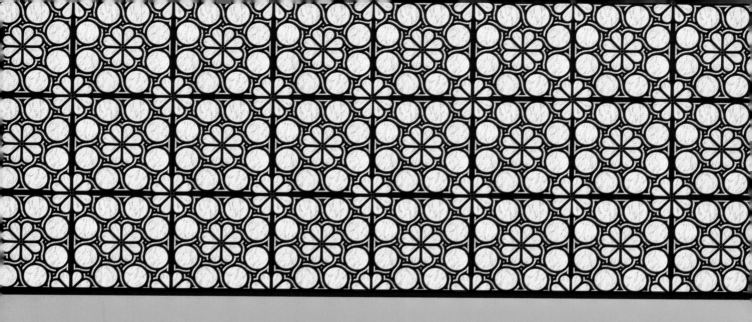

DE LA RAZÓN Y LA PASIÓN

TU RAZÓN Y TU PASIÓN SON COMO EL REMO Y LA VELA DE TU NAVE INTERNA. SI LA VELA Y EL REMO SE LLEGASEN A ROMPER, NO QUEDARÍA MÁS QUE FLOTAR AL CAPRICHO DE LAS OLAS O QUEDAR APRESADO EN MEDIO DEL MAR.

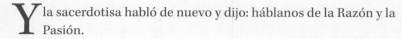

Y la sacerdotisa habló de nuevo y dijo: háblanos de la Razón y la Pasión.

Y él respondió, diciendo:

Tu alma se convierte con frecuencia en campo de batalla, donde la razón y el buen juicio se baten contra tus pasiones y apetitos.

Yo quisiera ser un pacificador de almas, para convertir la discordia y la rivalidad de los sentimientos elementales en una melodiosa armonía de unidad.

Pero ¿cómo podría lograrlo si ustedes mismos no se vuelven también pacificadores y amantes de los elementos de su alma?

Tu razón y tu pasión son como el remo y la vela de tu nave interna.

Si la vela y el remo se llegasen a romper, no quedaría más que flotar al capricho de las olas o quedar apresado en medio del mar.

Porque la razón que se gobierna por sí misma, es una fuerza que limita; pero la pasión que carece de gobierno, es como una flama que arde en su propia destrucción.

Sin embargo, deja que se eleve la razón, hasta que alcance la altura de la pasión, que es una cima donde el alma puede cantar;

Pero también es necesario que la pasión se encauce por medio de la razón, de manera que pueda perpetuar su diaria resurrección, como el fénix que resurge de sus propias cenizas.

Me gustaría que cuidaras tu juicio y tu apetito como si fueran huéspedes amados de tu hogar.

Seguramente tú no harías distinciones y honrarías a los huéspedes por igual; porque si atendieras más a uno que a otro, perderías la estimación y la confianza de ambos.

Cuando te sientes en lo alto de una colina bajo la sombra fresca de los álamos, para gozar de la serenidad de los campos, permite que tu corazón formule en silencio este decreto: "Dios reposa en la razón".

Y cuando la tormenta, y el viento huracanado agiten el bosque, y el relámpago proclame la majestad del cielo, permite que tu corazón exprese con temor: "Dios se agita en la pasión".

Y puesto que somos como un aliento en el ámbito de Dios, como una hoja de su bosque, deberíamos a semejanza de él, reposar en la razón y agitarnos en la pasión.

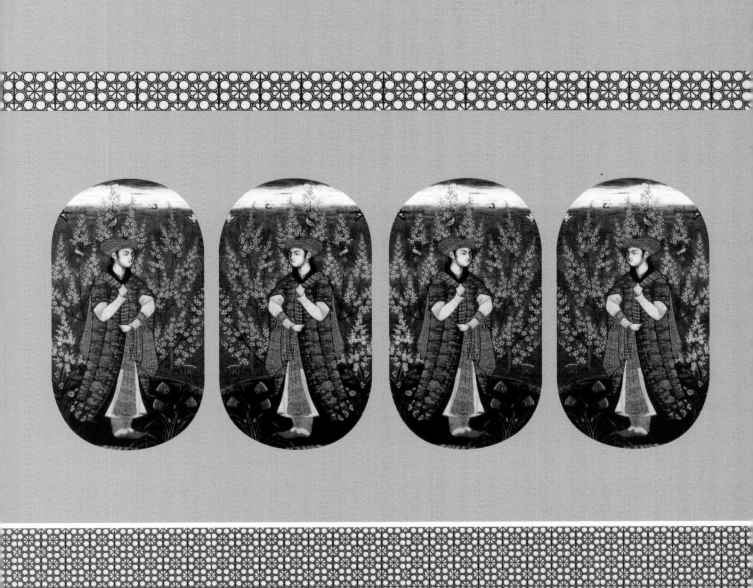

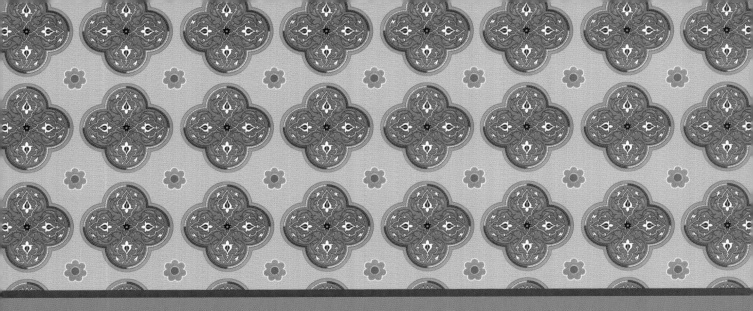

DEL DOLOR

MUCHOS DE LOS DOLORES QUE PADECES,
TÚ MISMO LOS ELIGES. SON COMO UN AMARGO
BREBAJE QUE TE RECETA TU MÉDICO
INTERIOR Y QUE TE SANA A TI MISMO.

Y una mujer dijo: háblanos del Dolor.

Y él comentó:

Tu dolor es el que rompe la cáscara que envuelve tu entendimiento.

Incluso la semilla de la fruta debe romperse,

y su corazón puede estar frente al sol, así debes conocer tu dolor.

Si pudieras conservar el corazón en constante asombro ante los milagros que suceden diariamente en tu vida, el dolor no sería menos estimulante que tu alegría;

Y podrías aceptar las estaciones de tu corazón, así como aceptas que las estaciones pasan sobre tus campos.

Y podrías mirar con serenidad a través del invierno de tu dolor.

Muchos de los dolores que padeces, tú mismo los eliges.

Son como un amargo brebaje que te receta tu médico interior y que te sana a ti mismo.

Por lo tanto, confía en tu médico y bebe sus remedios en silencio y con tranquilidad:

Porque su mano, aunque pesada y dura, es guiada por la mano tierna de El Invisible,

Y la copa que él ofrece, aunque ciertamente queme nuestros labios, fue modelada con la arcilla que humedecieron sus propias lágrimas sagradas.

DEL CONOCIMIENTO DE SÍ MISMO

EL ALMA NO CAMINA EN UNA SOLA LÍNEA,
NI TAMPOCO CRECE COMO UNA CAÑA.
EL ALMA SE DESPLIEGA COMO UNA FLOR
DE LOTO, CON INCONTABLES PÉTALOS.

Después un hombre dijo: háblanos del Conocimiento de Sí mismo.

Y él respondió, diciendo:

Tu corazón conoce en silencio los secretos de los días y las noches.

Pero tus oídos tienen sed por escuchar los sonidos del conocimiento de tu corazón.

Tú conoces en palabras lo que siempre has sabido con el pensamiento.

Podrías tocar con los dedos el cuerpo desnudo de tus sueños.

Y está bien que así lo desees.

El oculto manantial de tu alma necesita brotar y fluir murmurando hasta llegar al mar;

Para descubrir los recónditos tesoros que serán revelados ante tus ojos.

Pero no debes permitir que tu tesoro sea pesado en ninguna balanza;

No intentes investigar en tus propias profundidades con la ayuda del bastón o la sonda.

Porque el tuyo es un mar sin orillas, ilimitado e inconmensurable.

Nadie podría decir: "encontré la verdad", es mejor decir: "encontré una verdad".

No digas: "Encontré el camino del alma"; es preferible decir: "caminando por mi sendero, encontré el alma".

Porque el alma camina por todos los senderos.

Porque el alma no camina en una sola línea, ni tampoco crece como una caña.

El alma se despliega como una flor de loto, con incontables pétalos.

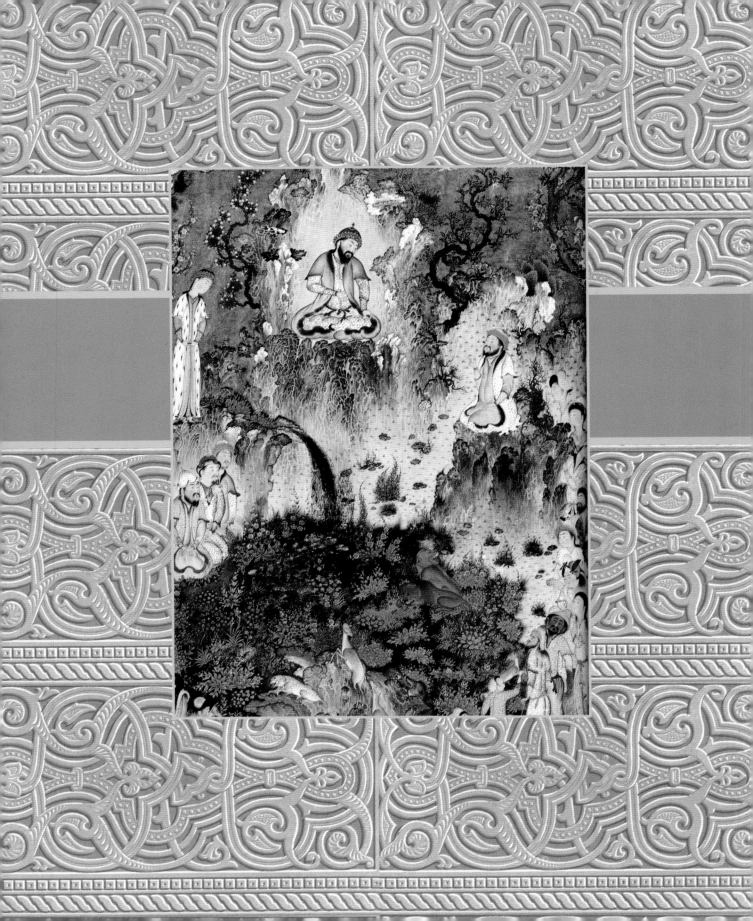

DE LA ENSEÑANZA

NINGÚN HOMBRE PUEDE REVELARTE NADA QUE NO EXISTA PREVIAMENTE, ADORMECIDO, DESDE EL AMANECER DE TU CONOCIMIENTO.

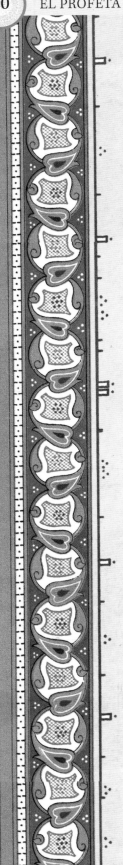

Luego, un maestro se aproximó y le dijo: háblanos de la Enseñanza.

Y él respondió:

Ningún hombre puede revelarte nada que no exista previamente, adormecido, desde el amanecer de tu conocimiento.

El maestro que camina a la sombra del templo, rodeado de sus alumnos, no te da la sabiduría, sino más bien su fe y su cariño.

Si se trata de un sabio verdadero, no obstaculizará tu entrada a la casa de la sabiduría, sino que guiará a sus discípulos hasta el umbral de su propia inteligencia.

El astrónomo puede hablar de su conocimiento del cosmos; pero no puede darte su entendimiento.

El músico puede cantarte todos los ritmos que hay en el espacio, pero no puede darte el oído que los percibe y la voz que los expresa.

Y quien esté versado en la ciencia de los números puede hablarte de los aspectos del peso y la medida, pero no puede llevar a nadie a esos campos.

Porque la visión de un hombre no presta sus alas a otro hombre.

Cada uno de nosotros está solo ante el conocimiento de Dios, y se encuentra solo frente al entendimiento de la tierra.

DE LA AMISTAD

NO PERMITAS QUE EXISTA UN INTERÉS
EN LA AMISTAD, CON LA EXCEPCIÓN
DEL ENTENDIMIENTO ESPIRITUAL.
PORQUE EL AMOR QUE SOLAMENTE
BUSCA LA REVELACIÓN DE SU PROPIO
MISTERIO NO ES AMOR, SINO UNA RED
QUE ATRAPA AL INÚTIL.

Un joven dijo: háblanos de la Amistad.

Y él contestó, diciendo:

Tu amigo es una respuesta a tus necesidades.

Él es el campo donde siembras con amor y cosechas con agradecimiento.

Él es tu mesa y es tu hogar.

Acudes a él cuando tienes hambre, y cuando estás en busca de paz.

⁂

Cuando tu amigo revela su pensamiento, no tengas miedo del "no" que surge en tu mente ni le escatimes el "sí".

Cuando él está callado, tu corazón no cesa de escuchar el suyo;

Porque sin palabras, en la amistad, todos los pensamientos, todos los deseos, todas las expectativas nacen y se comparten, con alegría y sin alardes.

Cuando te alejes de un amigo, no te sientas afligido;

Puesto que aquello que más amas de él, será más claro en su ausencia, como la montaña para el montañista, que es más clara desde la planicie.

No permitas que exista un interés en la amistad, con la excepción del entendimiento espiritual.

Porque el amor que solamente busca la revelación de su propio misterio no es amor, sino una red que atrapa al inútil.

Y reserva lo mejor de ti para tu amigo.

Si él debe conocer el flujo de tu marea, permite que conozca también el reflujo.

¿Para qué buscas a un amigo con quien matar las horas?

Búscalo siempre para vivir las horas.

Porque él llena tus necesidades, pero no tu vacío.

Que en la dulzura de la amistad haya sonrisas y comunión de placeres.

Porque en el rocío de las cosas pequeñas, es donde encuentra el corazón la frescura de la mañana.

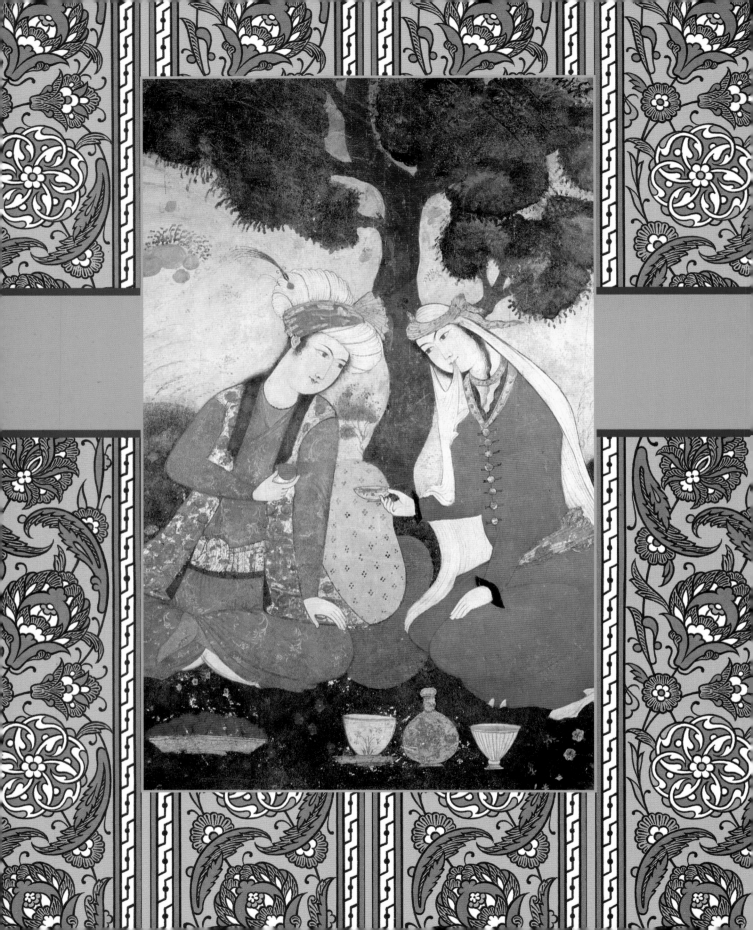

DE LOS DISCURSOS

HAY QUIEN CONOCE LA VERDAD;
PERO NO LA EXPRESA EN PALABRAS.
EL ESPÍRITU HABITA EN EL CORAZÓN DE
ELLOS COMO EN UN RÍTMICO SILENCIO.

Y un estudiante dijo: háblanos de los Discursos.

Y él contestó, diciendo:

Tú discurres cuando cesa la paz de tus pensamientos;

Cuando ya no puedes habitar por más tiempo en la soledad de tu corazón, vives en tus labios, y entonces el sonido es una diversión y un pasatiempo.

Y muchas veces nuestro pensamiento muere a causa de las palabras.

Porque el pensamiento es como un pájaro, que dentro de una jaula podría desplegar sus alas, pero no volar.

Muchas veces buscamos la compañía de los habladores por el miedo a estar solos.

El silencio de la soledad revela en sus ojos su propia desnudez y luego buscan escapar.

Hay otros que discurren sin previa meditación ni conocimientos, expresan una verdad que ellos mismos no entienden.

Hay quien conoce la verdad; pero no la expresa en palabras.

El espíritu habita en el corazón de ellos como en un rítmico silencio.

Cuando encuentres a un amigo en el camino o en la plaza del mercado, deja que sea el espíritu el que mueva tus labios y dirija tu lengua.

Deja que tu voz llegue al oído de su oído.

Porque su alma entenderá y guardará la verdad que emana de su corazón, como se recuerda el sabor de un vino.

Aun cuando hayamos olvidado su color o la copa que lo contenía ya no exista.

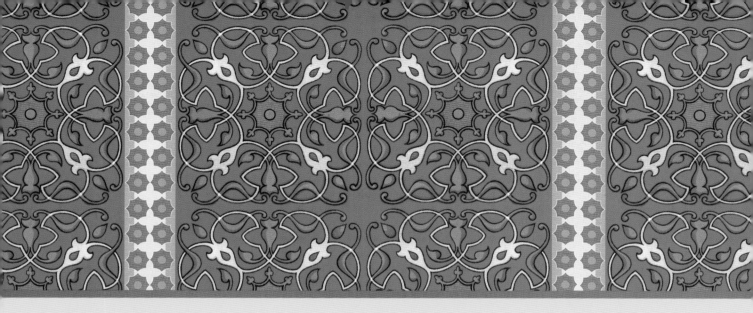

DEL TIEMPO

¿Y NO ES EL TIEMPO COMO EL AMOR,
INDIVISIBLE E INCONMENSURABLE?

Y un astrónomo dijo: Maestro, ¿qué hay del Tiempo?

Y él respondió:

Podrías medir el tiempo inconmensurable e infinito.

Podrías regular tu conducta y encauzar la marcha del espíritu de acuerdo a las horas y a las estaciones.

Te gustaría hacer del tiempo un río y sentarte en sus riberas a contemplar su corriente.

Sin embargo, lo intemporal en ti es consciente de lo infinito de la vida,

Y sabes que el ayer no es sino el recuerdo del mañana y el sueño del ahora.

Y qué dicha que lo que canta y observa dentro de nosotros, vive aún en la huella de aquel primer momento, en que se esparcieron los astros en el espacio.

¿Quién de ustedes no siente que su poder para amar es ilimitado?

¿Y quién no siente que se agita dentro del centro de su ser ese verdadero amor y no cambia de uno a otro pensamiento de amor, ni de una a otra acción de amor?

¿Y no es el tiempo como el amor, indivisible e inconmensurable?

Pero si tu pensamiento debe medir el tiempo por estaciones, deja que cada estación envuelva a todas las demás,

Y permite que el presente abrace al pasado con remembranza y al futuro con anhelo.

DEL BIEN Y DEL MAL

TU ANHELO POR LOGRAR UN YO
SUPERIOR, ESTÁ EN TU BONDAD
Y EN CADA UNO DE USTEDES.

Y uno de los ancianos de la ciudad, dijo: háblanos del Bien y del Mal.

Y él respondió:

Puedo hablar del bien que está en ti, pero no del mal.

Porque ¿qué es el mal, sino el bien torturado por su propia hambre y su sed?

En verdad, cuando el bien padece hambre, busca el alimento hasta en lo más profundo de las cuevas y cuando lo abraza la sed, bebe hasta de las aguas estancadas y muertas.

Eres bueno cuando eres uno con tu propio ser.

Pero cuando no eres uno con tu propio ser no significa que seas malo.

Porque una casa dividida no es una cueva de rateros; sino sólo eso: una casa dividida.

Y una nave que ha perdido el timón, bien puede navegar a la deriva entre los arrecifes sin hundirse.

Y eres bueno cuando te esfuerzas en dar mucho de ti mismo.

Pero no eres malo si buscas tu propio provecho.

Porque cuando procuras tu beneficio, eres como una raíz que penetra a la tierra y succiona el alimento de su seno.

Seguramente el fruto no puede decirle a la raíz: "Tú debes ser como yo, maduro y pleno y darte con abundancia".

Porque darse para el fruto es una necesidad, como el recibir es una necesidad para la raíz.

Eres bueno cuando eres completamente consciente en tu discurso.

Y no eres malo mientras dormido tu lengua balbucea sin sentido.

Hasta un discurso torpe puede fortalecer a una lengua débil.

Eres bueno cuando caminas hacia tu meta con firmeza y valentía.

Pero no eres malo si avanzas cojeando.

Incluso aquellos que cojean, no retroceden.

Hay quienes son fuertes y ágiles, pero ensombrecen su bondad cuando se burlan del lisiado.

Puedes ser bueno de múltiples maneras, y no ser malo cuando no eres bueno,

Tú sólo eres perezoso y negligente.

Es una pena que los ciervos no puedan enseñar agilidad a las tortugas.

Tu anhelo por lograr un yo superior está en tu bondad y en cada uno de ustedes.

Pero en algunos ese anhelo es torrente impetuoso que corre hacia el mar, arrastrando los secretos de las laderas y los cantos de la selva.

Y en otros es como un manso arroyo que se tuerce por múltiples recodos antes de llegar a la costa.

Pero el que anhela mucho no debe decir al que poco desea: "¿Por qué eres lento e indeciso?".

El que es bueno de verdad no pregunta al desnudo: "¿Dónde está tu vestido?" ni al vagabundo: "¿Dónde se encuentra tu casa?".

DE LA ORACIÓN

DIOS NO ESCUCHA MÁS PALABRAS
QUE LAS QUE ÉL MISMO
PONE EN TUS LABIOS.

Luego una sacerdotisa, dijo: háblanos de la Oración.

Y él contestó, diciendo:

Tú rezas en tu angustia y en tu necesidad; deberías rezar también en la plenitud de tu alegría y en tus días de abundancia.

✳

Porque la oración no es más que la expansión de nuestro propio ser viviente.

Y si por tu comodidad derramas tu amargura en el espacio, en tu deleite debieras también derramar el amanecer de tu corazón.

Y si no puedes hacer otra cosa que llorar, cuando tu alma desearía rezar, entonces ella misma, una y otra vez, procurará la risa, aunque sea en medio del llanto.

Cuando elevas tu oración, podrás encontrar en el espacio a quienes en ese momento también están rezando y que no encontrarías de otra manera.

Sin embargo, haz que tu visita al templo invisible, no sea sino para encontrar el éxtasis de la dulce comunión.

Porque quien va al templo con la única intención de pedir, no recibirá don alguno:

Y quien entra para postrarse no tiene porqué ser levantado.

Incluso si entras en el templo para rogar por el bien de otros, no serás escuchado.

Es suficiente que entres en tu propio templo.

✳

No puedo enseñarte a rezar con palabras.

Dios no escucha más palabras que las que él mismo pone en tus labios.

No puedo enseñarte la oración de los mares, de los bosques y de las montañas.

Pero quien nació en las montañas, en los bosques o en los mares, podrá encontrar la justa oración en su corazón,

Y si escuchas con atención en la quietud de la noche, escucharás una oración silenciosa:

"Dios nuestro, que eres nuestro Ser Alado, que tu voluntad sea la nuestra.

"Que tu deseo sea el nuestro.

"Sólo por tu voluntad en mí es que podrán cambiar las noches, que son tus noches, y convertirse en días, que son tuyos también.

"Cómo podría pedirte algo si tú conoces mis necesidades antes que nazcan en mí:

"Eres tú mi necesidad; y al darme más de ti mismo, te entregas por completo a mí".

DEL PLACER

PERO DIME, ¿QUIÉN ES CAPAZ DE OFENDER
AL ESPÍRITU? ¿PODRÍA OFENDER LA QUIETUD
DE LA NOCHE EL CANTO DEL RUISEÑOR,
O LA LUCIÉRNAGA A LOS ASTROS?

Entonces un ermitaño que visitaba la ciudad cada año, se adelantó y dijo: háblanos del Placer.

Y él contestó, diciendo:

El placer es como una canción de libertad,

Pero no es la libertad.

Es el florecimiento de tus deseos,

Pero no su fruto.

Es un abismo que anhela la altura,

Pero no es el abismo ni la altura.

Es un ser enjaulado que despliega sus alas,

Pero no es el espacio que lo rodea.

Sí, en verdad, el placer es un canto de libertad.

Y sumamente grato si cantas con la plenitud de tu corazón; pero si no la tuvieras, perderías tu corazón al cantar.

✳

Algunos de ustedes, jóvenes buscan el placer por encima de todo, y por ello son censurados y reprendidos.

Yo no los juzgaría ni reprendería. Me gusta que busquen el placer.

Porque no encontrarán solamente placer;

Puesto que el placer tiene siete hermanas, y la más humilde de ellas es más hermosa que el placer mismo.

¿Has escuchado del hombre quien cavando en la tierra para buscar raíces, encontró un tesoro?

✳

Algunos ancianos recuerdan los placeres con remordimiento, como faltas cometidas en la ebriedad.

Pero lamentan que se haya oscurecido su mente; más no su castigo.

Pero deberían recordar sus placeres con gratitud, como se recuerda la cosecha de un verano.

Sin embargo, si la pesadumbre los conforta, déjalos que se consuelen.

✳

Entre ustedes hay muchos que ni son jóvenes para buscar; ni viejos para recordar;

Y en su temor de buscar y recordar, evitan todos sus placeres, por miedo a lastimar el espíritu.

Pero incluso en sus privaciones, hallan una forma de placer.

Y es como si encontraran un tesoro, aunque caven con manos temblorosas en busca de raíces.

Pero dime, ¿quién es capaz de ofender al espíritu?

¿Podría ofender la quietud de la noche el canto del ruiseñor, o la luciérnaga a los astros?

¿Puede tu flama y tu humo molestar al viento?

¿Piensas que el espíritu es agua estancada que se enturbia al agitarla?

✳

A menudo, cuando te privas de un placer, tu deseo se guarda en algún resquicio de tu ser.

¿Y lo que reprimes ahora, no aparecerá en ti mañana?

Incluso tu cuerpo sabe de su herencia, de sus legítimas necesidades, y no puede ser engañado.

El cuerpo es un arpa para tu alma,

Y de ti depende que se produzca el suave acorde o el sonido estridente.

✳

Y ahora pregunta a tu corazón: "¿Cómo distinguir lo bueno del placer de aquello que no lo es?".

Acude a tus campos y a tus jardines, y ahí aprenderás que el placer de la abeja está en libar la miel de las flores,

Pero también está el placer de la flor al entregar su miel a la abeja.

Porque para la abeja una flor es fuente de vida,

Y para la flor, una abeja es la mensajera del amor,

Y para ambas, abeja y flor, el dar y recibir placeres, es una necesidad y un éxtasis.

✳

Así pues, gente de Orfalís: que sus placeres sean como los de las flores y las abejas.

DE LA BELLEZA

LA BELLEZA ES LA ETERNIDAD
CONTEMPLÁNDOSE A SÍ MISMA
EN EL ESPEJO. PERO TÚ ERES
LA ETERNIDAD Y EL ESPEJO.

Y un poeta dijo: háblanos de la Belleza.

Y él respondió:

¿Dónde puedes buscar la belleza, y encontrarla si no es ella misma el camino y la guía?

¿Y cómo puedes hablar de la belleza si no es ella misma la que elabora el discurso?

�֍

Aquellos que han sido agraviados e injuriados, dicen: "La Belleza es benévola y gentil, como una madre joven y pudorosa que camina entre nosotros".

Y los apasionados dicen: "No, la belleza está llena de poder y horror.

"Es como la tempestad que sacude al cielo, y la tierra bajo nuestros pies".

�֍

El cansado y el apático, dicen: "La belleza está hecha de un dulce susurro. Habla con suavidad a tu espíritu.

"Su voz llega a tus silencios como una débil luz que tiembla de temor ante la sombra".

Pero el inquieto dice: "Yo la escuché gritar en las montañas,

Y sus gritos traían un ruido de cascos, batir de alas y rugir de leones".

✖

Y por las noches, los guardias de la ciudad dicen: "La belleza surgirá al amanecer por el oriente".

Y al mediodía los trabajadores y los caminantes dicen: "La hemos visto inclinarse sobre la tierra, desde las ventanas del crepúsculo".

✖

En el invierno los que palean la nieve, dicen: "La belleza vendrá con la primavera, saltando alegremente sobre las colinas".

Y en el verano, los segadores dicen: "La hemos visto bailar con las hojas del otoño, y vimos la escarcha en su cabellera".

Todo esto se ha dicho de la belleza,

Pero nadie ha hablado realmente de ella sino de múltiples deseos insatisfechos,

Porque la belleza no es una necesidad, sino un éxtasis.

No es la boca sedienta ni la mano vacía que se tiende suplicante.

La belleza es corazón inflamado y alma encantada.

No es la imagen que quisieras ver, ni la canción que esperan escuchar tus oídos,

Pero la belleza es imagen que se vuelve visible, aunque cierres los ojos y una canción que no dejas de oír, aunque tapes tus oídos.

No es como la savia dentro de la dura corteza, ni como el ala junto a una garra.

Es más bien un jardín siempre en flor, y una bandada de ángeles volando eternamente.

※

Pueblo de Orfalís: la belleza es lo mismo que la vida, es el momento en que la vida rasga el velo y descubre su rostro sagrado.

Pero tú eres la vida y eres el velo.

La belleza es la eternidad contemplándose a sí misma en el espejo.

Pero tú eres la eternidad y el espejo.

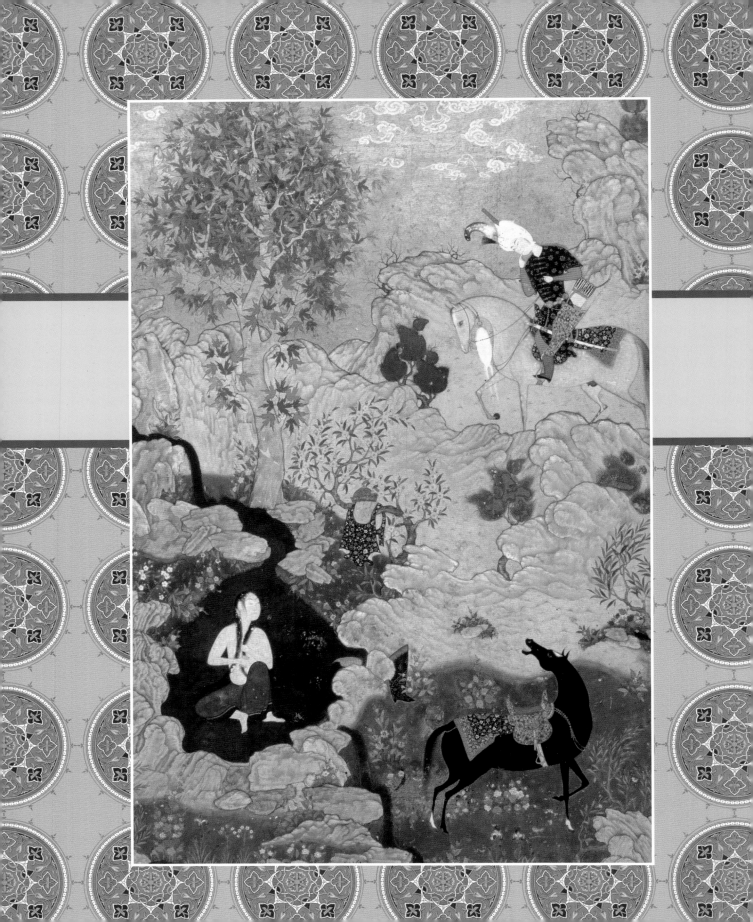

DE LA RELIGIÓN

TU VIDA DIARIA ES TU RELIGIÓN Y TU TEMPLO.
CUANDO ENTRES EN ÉL LLEVA
CONTIGO TODO LO QUE POSEES.

Un anciano sacerdote dijo: háblanos de la religión.

Y él dijo:

¿Acaso he hablado de otra cosa?

¿No es religión todo acto y toda reflexión,

Y lo que no es acto ni meditación, también es milagro y sorpresa que sale del alma, aunque sean las manos que cincelan la piedra o urden la tela?

¿Quién es capaz de separar la fe de los actos, o sus creencias de sus ocupaciones?

¿Y quién puede extender sus horas frente a sí y decir: "Esto es para Dios, y esto para mí mismo; esto es para mi alma y aquello para mi cuerpo"?

Tus horas son alas que surcan el espacio de uno a otro ser.

Es preferible andar desnudo que usar la moral como el mejor de los vestidos;

Así el viento y el sol no dañarán tu piel.

Quien dirige su conducta con una ética es como si encerrara un ave en una jaula.

El canto de la libertad no brota a través de las rejas.

Para algunos, la adoración es una ventana que se abre, pero también se cierra, ellos no han visitado aún la mansión de su alma; porque ahí las ventanas se abren de amanecer en amanecer.

Tu vida diaria es tu religión y tu templo.

Cuando entres en él lleva contigo todo lo que posees.

Toma el arado y la fragua, el mazo y el laúd,

Las cosas que has creado por necesidad o por placer.

Porque en el ensueño no podrías levantarte por encima de tus logros ni caer más abajo que tus fracasos.

Y llevar contigo a todos los hombres:

Porque en la adoración no podrías volar más alto que sus esperanzas ni más bajo que su desesperación.

✳

Si realmente conocieras a Dios, no habría sin embargo, enigmas qué descifrar.

Mejor mira a tu alrededor y lo verás a Él jugar con los niños.

Mira al cielo y lo verás a Él caminando sobre las nubes, extendiendo sus brazos con el relámpago y descendiendo en la lluvia.

Lo verás sonreír en las flores y luego agitar sus manos en los árboles.

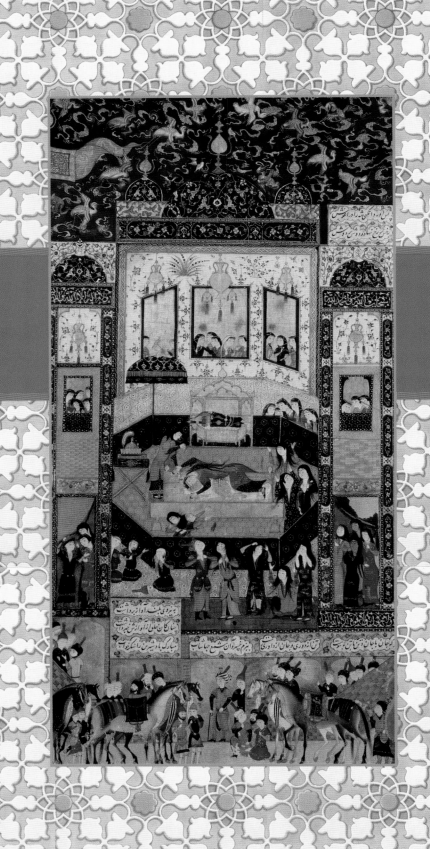

DE LA MUERTE

SI EN VERDAD QUIERES CONOCER
EL ESPÍRITU DE LA MUERTE, ABRE TU
CORAZÓN A LA ESENCIA DE LA VIDA.
PORQUE LA VIDA Y LA MUERTE SON UNA,
COMO EL RÍO Y EL MAR SON UNO.

Luego Almitra habló, diciendo: quisiéramos preguntarte ahora de la Muerte.

Y él dijo:

Deseas conocer el secreto de la muerte.

Pero ¿cómo puedes conocerlo sin buscar en el corazón de la vida?

Los ojos del búho permanecen ciegos durante el día; él no puede descubrir el misterio de la luz.

Si en verdad quieres conocer el espíritu de la muerte, abre tu corazón a la esencia de la vida.

Porque la vida y la muerte son una, como el río y el mar son uno.

✖

En lo más profundo de tu esperanza y tus deseos, nace el secreto conocimiento del más allá;

Y como la semilla sueña bajo la nieve; tu corazón sueña con la primavera.

Confía en tus sueños, porque en ellos se oculta la puerta de la eternidad.

El temor a la muerte es como el miedo del pastor delante del rey, que le tiende la mano para honrarlo.

¿No debería sentirse feliz sabiendo que en adelante llevará la insignia del rey?

¿Aunque el pastor sea consciente de su temblor?

✖

Porque el morir no es otra cosa que entregarse desnudo al viento y fundirse con el sol.

¿Y qué significa dejar de respirar sino liberar a los pulmones del flujo y reflujo de manera que el aire vuelva a ser libre, para buscar sin obstáculos a Dios?

Sólo cuando bebas del río del silencio, cantarás realmente.

Cuando alcances la cima de la montaña, deberás comenzar a escalar.

Cuando la tierra recoja tus miembros, deberás danzar verdaderamente.

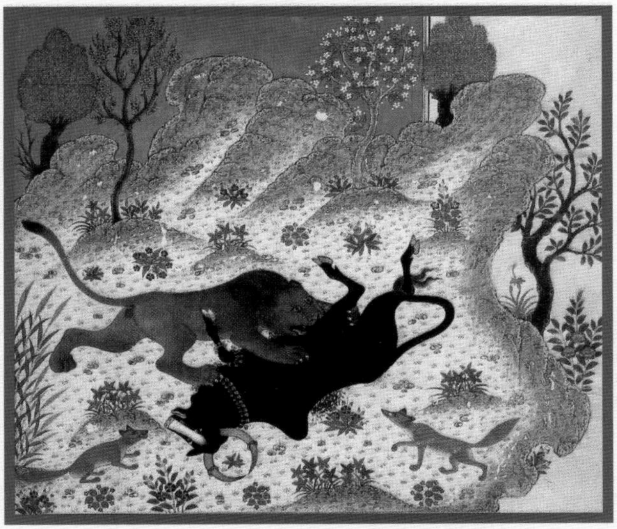

LA DESPEDIDA

SI ALGO TENGO QUE DECIR, ES LA VERDAD,
ESA VERDAD SERÁ REVELADA A SÍ MISMA
EN UNA CLARA VOZ, Y EN PALABRAS MÁS
FAMILIARES A SUS PENSAMIENTOS.

Y ahora empezaba a anochecer.

Y Almitra, la sacerdotisa, dijo: bendito sea este día y este lugar y bendito sea el espíritu que habló ante nosotros.

Y él respondió: ¿Acaso fui yo quien habló?

¿No fui yo también un oyente?

�֎

Luego, él fue descendiendo por la escalera del Templo y todo el mundo lo siguió. Cuando llegó frente a su nave, dijo desde la cubierta.

Se volvió hacia la gente levantando la voz y dijo:

¡Pueblo de Orfalís! es el viento quien me ordena abandonarlos;

Aunque mi espíritu sea menos veloz que el viento, debo partir.

Nosotros los vagabundos, buscamos siempre los caminos solitarios y no comenzamos un día en el mismo lugar en el que terminamos el anterior; el amanecer no nos encuentra donde nos dejó el ocaso.

Nosotros viajamos mientras la tierra duerme.

Somos las semillas de una planta tenaz, es la madurez de nuestro corazón que nos otorga el viento para esparcirnos.

B reves fueron mis días entre ustedes, y breves fueron también mis palabras.

Pero mi voz podría fundirse en los oídos de ustedes y mi amor borrarse de su memoria, así que yo volveré;

Y con un corazón más rico y unos labios que se entregarán al espíritu cuando yo hable.

Sí, yo volveré con la marea,

Y pensando en la muerte, podré ocultarme, y el más grande silencio me envolverá, y una vez más buscaré su comprensión.

Y no en vano lo buscaré.

Si algo tengo que decir, es la verdad, esa verdad será revelada a sí misma en una clara voz, y en palabras más familiares a sus pensamientos.

✖

Pueblo de Orfalís, me voy con el viento pero no hacia el vacío;

Si este no ha sido un día pleno para la satisfacción de sus inquietudes y para la manifestación de mi amor, que sea una promesa para otro día.

Las necesidades del hombre cambian, pero no su amor, ni el deseo de que su amor debería satisfacer sus necesidades.

Sé, sin embargo, que regresaré desde el mayor de los silencios.

La niebla se disipa al amanecer, llenando de rocío los campos; asciende y se condensa hasta convertirse en una nube de lluvia.

Y no he sido muy distinto de la niebla.

He caminado por las calles en la quietud de la noche y mi espíritu ha penetrado en sus hogares,

Y al sentir su aliento en mi rostro, y el latido de su corazón en el mío, conocí todo de ustedes.

Sí, he conocido su alegría y su dolor, y sus sueños han sido mis sueños.

A menudo yo he sido entre ustedes, como un lago entre montañas.

En mí se han reflejado sus alturas y desfiladeros, e incluso los rebaños de pensamientos y deseos.

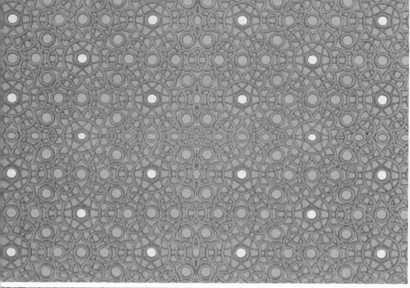

Y a mi silencio vino el arroyo de la risa de sus niños, y los ríos de los anhelos adolescentes.

Desde que se fundieron con mi profundidad, los arroyos y los ríos no han dejado de cantar.

Pero algo más dulce que la risa y más grande que el anhelo, vino a mí:

Lo que hay de infinito en ustedes;

Aquella vastedad del hombre de quienes ustedes son células y nervios;

En cuyo canto se funden todas las voces, como palpitaciones silenciosas.

Es en la vastedad del hombre que la grandeza de ustedes se manifiesta.

Y contemplándolo a él, yo los he contemplado y los he amado.

¿Por qué las distancias del amor, no están comprendidas en la vasta esfera del hombre?

¿Qué visiones, qué esperanzas y qué presunciones pueden volar más allá?

Como un roble gigantesco, cubierto con flores de manzana, es el vasto hombre en ustedes.

Su mente los ata a la tierra, su fragancia los eleva al espacio, y es a causa de su infinitud que se vuelven inmortales.

Ustedes han dicho que los hombres son como una cadena, y que cada uno es como un frágil eslabón.

Pero esto es una verdad a medias, pues también existen eslabones fuertes.

Cuando se miden por sus pequeñas acciones es como si juzgaran el poder del océano, por la fragilidad de su espuma.

Juzgarse por sus fracasos es como culpar a las estaciones del año por su inconstancia.

✻

Sí, ustedes son como un océano,

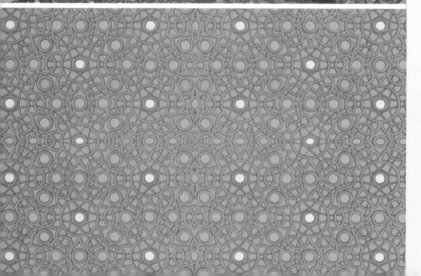

Piensen en los enormes barcos que aguardan la marea sobre las costas, pero nadie puede ordenar al océano que acelere el ritmo de sus mareas.

Y también son como las estaciones,

Aunque en su invierno, nieguen la primavera,

Pero la primavera reposa en ustedes y sonríe en su letargo sin ofenderse.

No piensen que digo esas cosas para ordenarles lo que deben decirle a los otros: "Él nos alaba demasiado. Porque vio lo bueno en nosotros".

Yo sólo digo las palabras que ustedes conocen en el fondo de su pensamiento.

¿Y qué es el conocimiento dicho en palabras sino la sombra del conocimiento sin palabras?

Sus pensamientos y mis palabras son el oleaje de una memoria sellada que guarda recuerdos de tiempos remotos,

Cuando en la antigüedad la tierra no sabía aún de ustedes ni de sí misma,

Y de la noche cuando la tierra estaba sumida en el caos.

✖

Hombres sabios han venido para darles su sabiduría. Yo vine para tomar su sabiduría;

Y encuentro algo más grande que la sabiduría:

Es la llama del espíritu que se va llenando de sí mismo,

Mientras ustedes, apartados de esa expansión, lloran el languidecer de sus días,

La vida busca a la vida en los mismos cuerpos que temen al sepulcro.

✖

Pero aquí no hay sepulcros.

Sólo montañas y planicies que son cuna y puente.

Cuando pases por el campo donde yacen tus ancestros, obsérvate bien y te verás a ti mismo y a tus hijos, danzando juntos tomados de la mano.

En verdad, tú frecuentemente creas alegría sin saberlo.

Otros han venido a estimular la fe y a ofrecer doradas promesas; tú les has dado riquezas, poder y gloria.

Yo he dado algo menos que una promesa y el pueblo ha sido mucho más generoso conmigo.

Me ha dado una inmensa sed de vida.

Seguramente, no puede haber más grande regalo para un hombre, que aquello que convierte su pensamiento en apasionada voz y la vida misma en una fuente.

En esto radica mi honor y mi recompensa:

Porque cada vez que vengo a la fuente, encuentro el sabor de la vida sediento de sí mismo;

Y mientras bebo; también soy bebido.

Hay quien me juzga orgulloso o tímido para recibir regalos.

En realidad, también, mi orgullo me impide aceptar salarios, pero no regalos.

Y aunque haya comido las frutas silvestres de las colinas, cuando debería sentarme contigo a tu mesa,

Y haya dormido en el pórtico del templo, cuando tú deberías alegrarte de haberme albergado,

¿Ha sido tu celo amable lo que volvió dulce mi alimento y llenó mi sueño de agradables imágenes?

Por todo esto te bendigo:

Es mucho lo que has dado, aunque no lo sepas.

En verdad la bondad que se contempla a sí misma en un espejo, se convierte en piedra,

Y una buena acción que se alaba a sí misma, se convierte en el germen de una maldición.

Y algunos me han considerado altivo y ebrio de mi propia soledad y han dicho:

"Él conversa con los árboles del bosque y no con los hombres".

"Él se sienta solo en lo alto de las colinas y siempre mira hacia abajo nuestra ciudad".

Ciertamente escalé las colinas y anduve en lugares remotos.

¿Cómo podría haberlos visto desde una gran altura y una gran distancia?

¿Cómo puede uno estar realmente cerca, a menos que se encuentre lejos?

Yo escuché lo que algunos me dijeron sin palabras:

"Extranjero, extranjero enamorado de las cimas. ¿Por qué habitas en las cumbres como las águilas en sus nidos?

"¿Por qué buscas lo difícil e inseguro?

"¿Qué tempestades atrapas con tu red?

"¿Qué clase de aves cazas en el cielo?

"¡Ven y sé uno de nosotros!

"Baja y sacia tu hambre con nuestro pan; ven y apaga tu sed con nuestro vino".

En la soledad de su alma dijeron estas cosas;

Pero su soledad era más profunda de lo que imaginaban. Y fue por ello que busqué solamente el secreto de su alegría y de su dolor,

Y cacé solamente lo mejor de ti, lo que vuela hacia el cielo.

Pero el cazador fue también cazado;

Porque muchas flechas escaparon de mi arco sólo para regresar a mi propio pecho.

Y la mariposa fue también oruga;

Porque en cuanto mis alas se desplegaron al sol, su sombra sobre la tierra era la de una tortuga.

Y yo, el creyente, me convertí en dubitativo;

Porque me fue necesario poner el dedo sobre mi llaga para tener mayor fe en ti, y el mayor conocimiento de ti.

❈

Y es por esta fe y este conocimiento que ahora te digo:

Nadie está preso en su cuerpo ni confinado en su casa o en los campos.

Pues lo que nos pertenece, habita en las montañas y vaga con el viento.

No se trata de lo que se arrastra bajo el sol para calentarse o construye madrigueras para su seguridad,

Pero es algo libre, es un espíritu que envuelve la tierra y se mueve en el éter.

❈

Si estas palabras, resultan vagas no intentes desentrañarlas.

Pues vago y nebuloso es el principio de todas las cosas, pero no su fin,

Y me sentiría muy bien, si tú me recordaras como el inicio de algo.

La vida y todo lo que se vive, es concebido en la penumbra de la niebla y no en la claridad del cristal.

¿Y quién puede saber que el cristal no es sino la niebla que se desvanece?

❈

Yo quisiera que ustedes me recordaran de la siguiente manera:

Que lo que parece más débil y descarriado entre ustedes, es en realidad lo más fuerte y determinado.

¿No es el suave aliento lo que hace posible que se erija la estructura y la dureza de tus huesos?

La ciudad que habitas y todo lo que en ella existe ¿acaso no procede de un sueño colectivo que nadie recuerda?

Si pudieras ver la marea de ese aliento, podrías dejar de ver todo lo demás,

Y podrías escuchar el murmullo de ese sueño y no podrías oír ningún otro sonido.

❈

Pero ustedes no ven ni escuchan y eso está bien.

El velo que les nubla los ojos será rasgado por las manos que lo urdieron,

Y la niebla que les tapa los oídos será removida por los mismos dedos que la amasaron.

Y así las verán.

Y así la escucharán.

Y no habrá por qué deplorar la ceguera, ni lamentar la sordera.

Porque ese día serán revelados a ustedes los ocultos designios de las cosas.

Y daremos nuestra bendición a la luz y a la oscuridad.

Después, diciendo estas cosas él miró a su alrededor, y vio al piloto de su nave, de pie,

junto al timón, observando las velas desplegadas hacia el horizonte.

Y él dijo:

Es demasiado paciente el capitán de mi nave.

El viento sopla e inquietas están las velas;

Incluso el timonel pide rumbo;

Tranquilo, el capitán espera mi silencio.

Y mis marineros, que escuchan el canto del océano, también me han escuchado con paciencia.

Ahora ya no esperan más.

Estoy listo.

El arroyo va llegando al mar y una vez más, la grande madre acoge al hijo en su seno.

Adiós, pueblo de Orfalís.

Este día llega a su fin.

Como la flor del lirio se cierra en la mañana.

Tomemos lo que nos ha sido dado,

Y si no es suficiente, habremos de reunirnos nuevamente y extender juntos las manos hacia el creador.

No olviden que yo regresaré a ustedes.

En algún instante del tiempo, mi voluntad reunirá el polvo y la espuma para otro cuerpo.

En un instante, en un momento de reposo sobre el viento, otra mujer me concebirá.

¡Adiós a todos y a la juventud que pasé con ustedes!

Fue apenas ayer que nos conocimos en un sueño.

Y sus cantos han alegrado mi soledad. Y sus anhelos han construido una torre en el espacio.

Pero ahora tenemos que despertar y nuestro sueño ha terminado, y está próximo el amanecer.

Sobre nosotros se yergue el medio día, el sol está en lo alto y debemos partir.

Si en el crepúsculo del recuerdo volviéramos a encontrarnos, hablaremos de nuevo y cantaremos juntos una canción profunda.

Y cuando nuestras manos se unan nuevamente, en otro sueño, una torre distinta se alzará hasta el cielo.

✳

Así que diciendo esto y haciendo una señal a los marineros, rápidamente levaron anclas, soltaron las amarras y se dirigieron al oriente.

Y un llanto surgió de la gente como de un solo corazón, se elevó hacia el crepúsculo y también se extendió sobre el mar en un inmenso clamor.

Sólo Almitra, la vidente, guardó silencio, mirando cómo la nave se alejaba hasta desvanecerse en la niebla.

Y cuando la gente se dispersó, Almitra fue la única que quedó sobre el muelle, repitiendo desde muy adentro de su corazón:

"En un instante, en un momento de reposo sobre el viento, otra mujer me concebirá".

BIOGRAFÍA DE KHALIL GIBRÁN

Gibrán nació en 1883, en las montañas del norte de Líbano, cerca del Wadi Qadisha (Valle Sagrado). Su padre trabajó para el administrador local Otomano, y su madre Kamila, fue la hija de un sacerdote. Gibrán no recibió propiamente una educación formal, y fue educado por un sacerdote local. Siendo niño, disfrutó de la paz que encontró en el campo y pasó su tiempo dibujando los antiguos monasterios en el Valle Sagrado.

En 1895, Kamila emigró con sus hijos a los Estados Unidos, y se establecieron en el paupérrimo extremo sur de Boston. En los años siguientes, las habilidades artísticas de Gibrán atrajeron la atención de su maestra de arte, quien fue el vehículo para llevarlo y presentarlo ante Fred Holland Day, patrocinador de las artes y amigo de la vanguardia artística de Boston. El talento artístico de Gibrán floreció bajo la guía de Day, y hacia 1898 sus dibujos se utilizaron para ilustrar portadas de libros. En ese mismo año se decidió que él debería retornar a Líbano para completar su educación en Beirut. Gibrán regresó a Boston en abril de 1902.

En 1904, Day organizó una exhibición de las pinturas de Gibrán, las cuales fueron presentadas a Mary Haskell, quien se convirtió en el instrumento para desarrollar los talentos de Gibrán. Aunque Mary era diez años mayor que Gibrán, se estableció entre ambos una relación espiritual y fue el principio de una relación que duró el resto de su vida.

En 1910, Gibrán se mudó a Nueva York donde él dedicó su tiempo a pintar y a escribir. Sus primeros libros fueron escritos en árabe, sin embargo, prefirió comenzar a escribirlos directamente en inglés y después traducirlos: en 1918 vio publicado *El loco,* su primer libro en inglés. Este fue seguido, en 1920, por *El precursor*, y en 1923, por *El profeta*, el cual había permanecido muchos años en gestación, después de haber comenzado su vida, como una obra en árabe, en 1899. Otros libros en inglés fueron publicados en los años subsecuentes, entre los que destacan *Jesús, el hijo del hombre*, en 1928, por el cual, tiempo después, Gibrán obtuvo el reconocimiento internacional por su obra artística y literaria.

Mientras tanto, la salud de Gibrán comenzó a deteriorarse y pasó los siguientes años en medio de enormes padecimientos. Murió en 1931, a la edad de 48 años. Pocos años antes él había expresado el deseo —y se le concedió— de ser enterrado en su tierra natal, la patria de su corazón, en una caverna-ermita que fue usada por los monjes desde el siglo VII. El monasterio adjunto, es actualmente el Museo Gibrán.